LA PRATIQUE DU FRANÇAIS

LA PRATIQUE DU FRANÇAIS

COURS SUPERIEUR I

DOMINIQUE SECRETAN

MANCHESTER UNIVERSITY PRESS

© 1970 DOMINIQUE E. SECRETAN

Published by the University of Manchester at
THE UNIVERSITY PRESS
316–324 Oxford Road, Manchester M13 9NR

ISBN: 0 7190 0424 1 (hard covers)
0 7190 0447 0 (paper covers)

Made and printed in Great Britain by
William Clowes and Sons, Limited, London and Beccles

Que Messieurs les Professeurs F. Sutcliffe, W. Rothwell et G. Gadoffre veuillent bien trouver ici le témoignage de ma reconnaissance. Ma gratitude va également à Mme F. Currie, Mlle F. Richard, M. B. Jean, M. A. Salmon et M. C. Frankish dont les conseils et l'aide matérielle ont rendu mon travail possible. Je tiens aussi à remercier les secrétaires du Département de Français de l'Université de Manchester.

A
Edith Secretan

PREFACE

En concevant notre manuel, nous ne nous sommes aucunement proposé de remplacer les manuels que consultent depuis de nombreuses années lycéens, normaliens et étudiants, mais bien plus de mettre entre leurs mains un outil supplémentaire, d'un maniement plus simple que celui de certaines grammaires existantes et qui, s'adressant à des Anglais, tiendrait compte de leurs difficultés sans passer pour cela par leur langue. Aussi ne nous sommes-nous pas demandé, par exemple, comment il fallait traduire *some* et *any* dans une multitude de contextes: nous avons préféré étudier et illustrer l'emploi des adjectifs, pronoms et relatifs indéterminés qui, une fois appris, devraient amener la traduction requise. L'étudiant, armé dès lors de notions claires et présentées séparément, choisira dans chaque cas parmi les variantes possibles celle qui lui semblera la meilleure. «Divide et impera» est donc resté notre devise.

Il nous a toujours semblé qu'une connaissance pratique des éléments de la langue s'impose pour quiconque désire la parler et l'écrire correctement et avec quelque élégance. Une vérité à la Palisse? Peut-être, jusqu'au jour où l'on est frappé par la fréquence de certaines erreurs (genre, conjugaisons, emploi du passé simple et des prépositions, négations, etc.) et de certaines lacunes inexcusables. Rares sont les copies vierges de doubles traits rouges, plus rares encore celles qui révèlent une intention stylistique quelconque.

Nul doute que pendant trop longtemps les règles grammaticales mal digérées, le vocabulaire appris hors de contexte et un enseignement parfois trop peu coordonné entravent le progrès de l'étudiant. C'est dire aussi que l'on fait traduire de l'anglais trop difficile à des débutants qui devraient avoir pour tâche presque exclusive de se plonger dans les livres français, de lire du français attentivement, en vue d'un profit linguistique que seule, ou presque seule, la page écrite peut leur apporter.[1] Certes, le professeur enseigne, comme l'analyste analyse son patient; mais le professeur a commencé par son apprentissage à lui, comme l'analyste par sa propre analyse, et si le but de l'un est d'amener son malade à comprendre son moi intime, celui de l'enseignant est d'amener l'étudiant à apprendre, à devenir conscient de sa manière personnelle de voir les choses, à élaborer une méthode qui convienne à son tour d'esprit.

Apprendre, c'est avant tout regarder et formuler. L'analyse grammaticale part de la même interrogation que l'explication de texte. Le parallélisme évident des *qui, quoi, comment* des deux disciplines nous permet de préconiser, pour le lycée déjà, cette double lecture. L'immersion dans la langue étrangère (il nous est permis de l'envisager, puisque nous nous adressons à des jeunes gens qui ont *opté* pour cette langue), cette immersion que nous aimerions appeler «préoccupation constante» ouvrira très rapidement une large fenêtre sur la composition française et la dissertation — pour autant qu'elle ne sera pas trop ambitieuse.

Nous n'avons cherché que l'utile. Le linguiste de profession ne trouvera point ici sa pâture, pas plus que l'historien de la langue. Fruit de quelques années d'enseignement, ce petit livre n'a rien de définitif. Seul l'avenir dira ce qu'il vaut et par quel bout le prendre, ou le reprendre. Et seules les critiques et les suggestions de nombreux maîtres de langue nous permettront de l'améliorer.

Si nous arrivons à faire naître un dialogue entre le lycée et l'université, notre tâche n'aura pas été vaine. En attendant, nous aimerions qu'on excusât ce que notre méthode peut avoir de subjectif et d'arbitraire: à coup sûr l'expérience portera remède à nos lacunes et à nos infidélités.

---

[1] Faute de mieux, bien sûr. Rien ne viendra remplacer les séjours en France: ni le cinéma, ni la radio, ni même les longues heures passées au laboratoire de langue.

SUGGESTIONS

La division en chapitres et l'ordre même de ces chapitres n'ont en somme rien de rigide: chaque professeur commencera par où bon lui semblera. Un critère nous a guidés: le mot et son contexte. Le débutant doit se rendre compte que les permutations des vocables (collocations) d'une langue ne sont pas (dans la pratique) infinies. Le mot *arrêt*, par exemple, ne s'emploie dans l'usage courant que dans quelques situations et avec un nombre limité de verbes et de substantifs. Que la langue ne se structure pas uniquement sur une grammaire, mais aussi sur des usages tyranniques, souvent arbitraires dont l'observation ou la non-observation détermine les niveaux de langue.

Un diagramme au tableau noir, un objet, une «situation», etc., pourront servir de point de départ à la leçon. Le professeur parlera de la *chose*, puis il interrogera les élèves; on lira les phrases et les textes appropriés. La leçon revue à la maison, l'élève en arrivera à faire son propre petit exposé en classe. Un groupe de leçons bien comprises donnera lieu à une composition écrite qui, fondée sur des bases solides, n'en permettra pas moins à l'étudiant de laisser aller son imagination. Il nous semble important que le travail oral se fasse rapidement et avec un minimum d'hésitation. Nous avons conçu les *exercices pratiques* comme des exercices de révision et d'étude supplémentaire.

Les notions de base acquises, l'on passera à l'étude de mots importants, d'un maniement malaisé. Avec un peu de recherche et d'ingéniosité, le professeur trouvera ou composera d'autres séries de phrases, d'autres textes avec analyse. Il n'y a aucune raison pour que les étudiants ne participent pas à ces essais de rédaction.

L'inclusion de quinze textes avec ou sans analyse a pour but d'encourager une lecture plus *utilitaire*. Disons tout de suite qu'elle ne peut se faire qu'au moyen de dictionnaires français (*Petit Robert*,

Petit Larousse, Dictionnaire du Français contemporain, etc.). Tout texte utilisé en vue d'apprendre la langue doit être sollicité, interrogé, lu et relu. En d'autres termes, il ne suffit pas de noter dans un carnet des mots isolés, avec un quelconque équivalent anglais : cette fausse méthode n'est qu'une solution de facilité qui ne mène le plus souvent qu' à l'acquisition d'un vocabulaire passif. Nous insistons ici sur la valeur d'une lecture fréquente, répétée, à haute voix, de textes très courts au début.

Le progrès n'est qu'une longue suite de petits succès !

LA NOTION DE L'ESPACE

Le long de la route

A   E   B   D

1. (*a*) La distance de A à B est *de* cinq kilomètres.
   (*b*) La distance qui sépare A de B est *de* 5 km.

2. B se trouve *à* 5 km de A.

3. D est plus éloigné *de* A que *de* B.

4. E est situé exactement entre A et B.

5. Une route (un chemin, un sentier) mène de A à D.

6. Cette route passe par E et B.

7. Pour atteindre B il faut prendre la route de D.

8. Partant de A, il faut passer par E pour arriver à B ; en suivant la même route on finit par arriver (on *aboutit*) à D.

9. Un promeneur peut *parcourir le trajet* en une heure ; en automobile le même trajet *se fait* en dix minutes.

10. Si je me mets en route à dix heures et demie, j'arriverai à destination à onze heures et demie, et si mon ami roule vite, il lui suffira de partir à onze heures vingt pour me *rattraper* à B.

11. Samedi dernier j'ai décidé de faire *la course* A–D d'*un trait* (=sans m'arrêter). Je me suis d'abord *rendu* à B. Là je me suis foulé le pied et j'ai dû interrompre ma promenade. Grâce à un automobiliste complaisant, j'ai pu *gagner* D sans trop de retard.

12. Les promenades et les excursions se font à pied, ainsi que les courses en montagne, les balades et les randonnées.

Les promenades, les balades, les «virées» se font parfois en voiture, en autocar, voire en bateau.

Les voyages mènent plus loin: ils se font en train, en avion ou en bateau.

Les mots *croisière* et *traversée* ne s'emploient en général que pour les voyages en mer.

Dénivellations

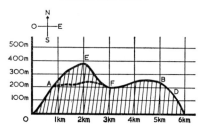

1. A est (situé) *à 200 m d'altitude.*

2. L'altitude de E est de 380 m (au-dessus du niveau de la mer).

3. B n'est qu'à 250 m et D à 170 m.

4. E est donc le point le plus élevé de la courbe et D le point le plus bas.

5. La route A–D ne va jamais *à plat:* elle monte et descend (elle est faite de *montées* et de *descentes*).

6. La montée vers E est longue et dure, mais elle n'est pas aussi raide que la descente sur F.

7. A partir de F la montée est plus douce. La route monte *en pente douce.*

8. A est à l'ouest de F, D à l'est. La boussole indique le nord. Nous ne savons pas ce qui se trouve au nord et au sud de la route.

9. La route A–E se trouve sur *le versant* ouest, la route E–F sur le versant est de la colline.

10. E fait la garde au sommet, alors que F se blottit au pied de la colline.

11. Pour gagner F plus rapidement, au lieu de passer par le sommet, on peut emprunter un sentier qui court *à mi-côte*.

12. Au cours de sa promenade, le marcheur *cheminera par monts et par vaux*.

Bifurcations

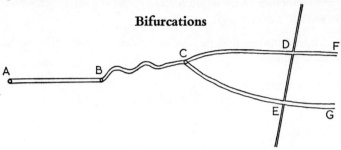

1. Toute droite entre A et B, la route a beaucoup de *tournants* (de *virages*) entre B et C.

2. Un automobiliste imprudent *prend* les virages trop rapidement.

3. A la sortie de C la route *bifurque*: il y a là une bifurcation.

4. Un peu plus loin, une route *secondaire* coupe les deux routes *principales*.

5. Les points D et E sont des points d'intersection. Si les deux routes sont au même niveau, on a *un croisement*.

6. Sur la route A–F les points B, C et D sont des *étapes*. Cheminant de A à F, le promeneur s'y arrête pour se reposer. S'il ne s'arrête pas, il *brûle l'étape!*

7. Le croisement de plusieurs routes s'appelle *un carrefour*.

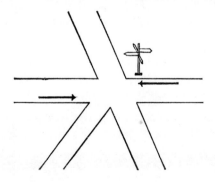

8. Vous y trouverez probablement un *poteau indicateur:*

Saint-Louis 2 km.

9. N'oublions jamais qu'en France, comme dans la plupart des pays du monde, on *circule* (on roule) à droite et que les voitures ont la priorité à droite.

10. A intervalles réguliers, au bord de la route, se dressent des bornes kilométriques.

Obstacles

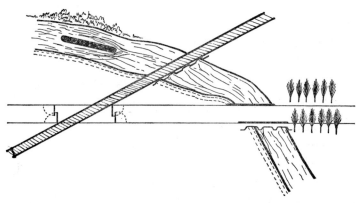

1. Sur une certaine distance, la route suit le cours de la rivière. Elle court parallèlement à la rivière.

2. Un peu plus loin, une voie ferrée coupe la route. Maintenant *le passage à niveau* est fermé.

3. Plus loin encore un solide pont de fer permet de *franchir* la rivière (le fleuve!) à pieds secs.

4. Un étroit *chemin de halage* longe le cours d'eau et en épouse toutes les sinuosités. On y voit parfois des chevaux qui tirent (halent) de lourdes péniches, des chalands.

5. Sur la *berge* opposée, sur l'autre rive, ne poussent que des buissons, alors que la route est bordée, elle, de peupliers.

6. Si la rivière n'est pas trop large ni trop profonde, on peut la *passer à gué.*

«Gué n.m. Endroit d'une rivière où l'on peut passer sans perdre pied.» (Petit Larousse.)

7. Et si l'eau n'est pas trop turbulente, ou le courant trop fort, on traversera peut-être à la nage.

8. *En amont* du pont de chemin de fer, la rivière est assez large; entre les deux ponts elle se rétrécit; *en aval* du second pont elle est très étroite et le courant devient plus rapide.

Une excursion

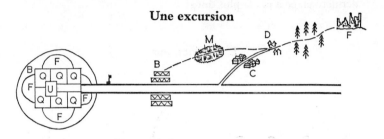

1. Par une belle journée de juin, deux étudiants ont quitté la cité universitaire de bon matin pour *se rendre* aux ruines de F.

2. Ils ont traversé plusieurs *quartiers* de la ville, un grand *faubourg* et la *banlieue* en autobus.

3. A l'arrêt *facultatif* P, en pleine campagne, ils sont descendus et ils ont continué leur chemin à pied.

4. Comme la route leur semblait longue et monotone, ils ont fait un kilomètre au pas de gymnastique.

5. Ils ont traversé le *bourg* de B sans s'y arrêter: ils avaient hâte de quitter la route et son étroit trottoir et de prendre le chemin de Cardon.

6. Assoiffés, après avoir monté le chemin *vicinal*, raide et pierreux, ils se sont désaltérés d'un verre de cidre à l'auberge du *village*.

7. Puis ils se sont remis en marche. Au *hameau* suivant (D), le chemin se rétrécit. Il n'y a plus alors qu'un vague sentier, *un chemin creux* à travers la forêt et *un raidillon* qu'ils ont *gravi* sans trop de peine (de mal).

8. Ils ont dû *ramper* sous des broussailles, sauter des fossés et

escalader un mur croulant. Avant de «casser la croûte» ils ont déambulé sur l'ancienne esplanade et exploré la vieille tour.

9. Quand la température a baissé, ils ont pris le chemin du retour. Au hameau ils ont emprunté un sentier *de traverse, un raccourci,* mais *à mi-chemin* entre D et B *un terrain* assez marécageux a *ralenti* leur marche. Boitillant, ils sont enfin tombés sur les premières maisons de B.

10. Dix minutes plus tard, ils *débouchaient* sur la grand-route. La derniere étape a été la plus dure!

L'éloignement

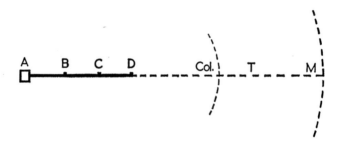

1. B est *tout près de* A: moins éloigné (loin) de A que C.

2. B et C sont *à* une petite (courte) distance de A.

3. D est à une bonne distance, M à une grande distance *de* A.

4. Il est dangereux de *s'écarter* du chemin.
   Ecartez-vous pour laisser passer cette voiture.

5. *Au loin,* des champs s'étendent jusqu'au pied des collines.

6. *Dans le lointain,* une chaîne de montagnes borne l'horizon.

7. *La tour de* T est trop éloignée pour que nous puissions l'atteindre aujourd'hui.

8. *De loin en loin* nous apercevons des troupeaux.

9. Comme le pays est plat, nous voyons venir les promeneurs *de loin.*

10. A cause de leur éloignement, nous ne distinguons pas aisément les tours du château.

11. Des terres lointaines, des souvenirs lointains, un avenir lointain.

12. B *s'éloigne* de A, alors que C *s'en rapproche.*

13. *L'écart* A–B augmente (s'agrandit); l'écart A–C diminue.

14. Approchez votre chaise, mon ami, rapprochez-vous du feu.

15. Le train approche; l'heure de partir approche.

16. Il a essayé d'approcher le ministre pour lui exposer son cas.

17. *Le rapprochement entre* les nations mène à l'entente et à la paix.

Remarques :

Au lieu de *près* on dit parfois *proche :*

1. La ville la plus proche; les proches parents; être proche de la délivrance; l'heure est proche; le Proche-Orient (Middle East).

2. Quand le bateau fut tout proche de la côte, le choeur d'enfants entonna une chanson.

Quelques subdivisions géographiques :

1. Un pays se divise en *états* (U.S.A.), en *comtés* (G.B.), en *cantons* (Suisse), en *provinces, départements* ou préfectures, sous-préfectures ou cantons et en *communes* (Fr).

2. Le *diocèse* (see) en décanats et en *paroisses.*

3. La ville en *quartiers* (Paris en *arrondissements*).
On parle aussi de *districts* (postaux).
(Si 'district', 'area', 'suburb', 'ward' représentent des parties d'une ville, traduisez par «quartier».)

4. Vous trouverez quelques bons hôtels *à proximité* de la gare, c'est-à-dire *dans le voisinage* immédiat, près de la gare.

5. *Parages* (m. pl.) est un endroit, lieu, mal défini : Des malfaiteurs rôdaient dans les parages (dans les alentours, dans la contrée, dans le voisinage).

6. *Contrée* est presque aussi mal définie :
Cette contrée est très peu peuplée (cette partie du pays).

7. *Pays* n'a pas toujours un sens national ou politique :
Dans ce pays les habitants se méfient des étrangers (province, district, canton, contrée, etc.)

8. *Sur les lieux* = on the spot. *Un coin* = corner, spot, place.

9. *Le voisinage :* les rues, les maisons et leurs habitants qui se trouvent près de chez vous. Faire bon voisinage.

Les alentours : tout ce qui se trouve, géographiquement, autour d'un certain point.

Les environs : idem. Lieux qui sont alentour.

L'environnement : tout ce qui, autour de vous, affecte votre vie ; votre milieu.

Le sens de l'orientation

1. Tout mouvement se fait dans une certaine direction.

2. Dans une gare vous trouverez les *indicateurs* suivants (ou d'autres semblables) :

DIRECTION GENEVE
VERS LA GARE

3. Bateau *en partance* pour New-York : Quai d'embarquation 3.
L'avion *à destination de* Casablanca aura trente minutes de retard.
Nous avons pris l'autocar pour la Savoie à la gare de Cornavin (Genève).

Remarquez que la phrase «le train de Nice a du retard» est ambiguë.

4. *Partir pour* la Suisse, le Portugal, les Etats-Unis.
Se rendre en Suisse, au Portugal, aux Etats-Unis.

5. Nous avons passé nos vacances à Rome, mais nous avons poussé jusqu'à Naples.

6. Je suis allé *auprès de* (*vers*) l'agent pour lui demander un renseignement.
Je me suis *dirigé vers* la place du marché, *du côté de* la cathédrale.

7. Les promeneurs traversaient le parc *dans tous les sens*.
Les pigeons voyageurs s'envolèrent *dans toutes les directions*, puis, au bout de quelques minutes, ils *mirent* tous *le cap sur* leur destination commune.

8. Il a marché *droit devant lui* pendant dix minutes, puis il s'est arrêté net. Il a *changé de direction*, puis il a *fait demi-tour*. Ayant ainsi *rebroussé chemin*, il s'est bientôt retrouvé à son point de départ.

9. Le convoi *s'est dirigé sur* Paris.
Les armées alliées *ont convergé sur* Berlin.
Tous les avions pour Londres ont été *détournés sur* Manchester.

Etudier les mots suivants: le clignotant, le gouvernail, le volant, le guidon, la boussole.

Adverbes et locutions adverbiales de lieu

1. *Ici-bas*, l'âme connait des joies et des vicissitudes. (Sur la terre.) *L'au-delà* nous promet des félicités plus permanentes.

2. *Là* emphatique (there):
là-bas, là-haut, là-dessus, là-dessous (qu'est-ce qui se cache *là-dessous?*), *là-dedans, là-derrière*.[1]
Ces expressions sont très fréquentes dans la langue parlée.

3. Quelle grosse valise! Que vas-tu mettre *dedans*?
Dehors il faisait froid, mais très chaud *dedans*.
Il n'a pas mis les pieds *dehors* de toute la journée.
En dedans de moi-même = en mon for intérieur.

4. Le vil courtisan a fait deux pas *en avant*, deux *de côté*, deux *en arrière*. Il a regardé son maître *en dessous*. Celui-ci l'a toisé *de haut en bas*. L'être abject a battu *en retraite*.

5. Pour la description d'un tableau:
Au premier plan — au second plan — à l'arrière plan.

6. On a placé des clignotants *à l'avant* et *à l'arrière* du véhicule.
Les fantassins ont attaqué *par devant*, les cavaliers *par derrière*. (*Par en-haut, par en-bas, de tous les côtés, de toutes les directions*.)

---

[1] *Là-dessus* temporel = sur ces entrefaites, thereupon.

7. Passons *par* ici, c'est plus court.
Ici et là, par ci par là, ci et là (here and there).
(*Par ci par là* est aussi = de temps à autres.)
Cette table me barre le chemin. — Mais passez donc *par-dessus*
ou *par-dessous*. *Au-dessous:* l'opposé de *au-dessus*.
Le prisonnier s'évade et fuit *par-delà* les Alpes.

8. Vue *d'en-bas*, cette tour est bien impressionnante.
Quand on se promène en montagne, on se dirige soit *vers le haut*
soit *vers le bas*, ou alors on reste *à mi-côte* (parallèlement à la crête).
En contre-bas, des jardins en terrasses descendaient jusqu'à la
rivière. (Lower down.)

9. Je revoyais «mon paysage: la colline boisée et *en-dessous* la
vallée; puis les montagnes, hautes, et quelque peu *en retrait; au-
dessus*, un petit nuage blanc, et *par-dessus* la voûte éclatante du
ciel».

10. Il a tiré une boîte plate de dessous l'armoire.

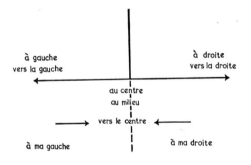

de chaque côté du triangle
des deux côtés du triangle

Sur votre gauche, vous
trouverez un sapin.
Tiens bien ta gauche !

Tournez à droite.
Prenez par la droite,
puis filez tout droit !

Jean est gaucher.
Pauline est gauche !
Passer l'arme à gauche = mourir.
En politique on parle des partis de
gauche, de droite et du centre.

En et Dans

Le choix entre *en* et *dans* n'est pas dicté par la logique, mais par l'usage. On peut tout au plus dire que *dans* est souvent plus concret, *en* plus abstrait.

Lieu:

En ville, en France, en Bretagne; regarder en l'air; aller de village en village; en tête, en queue (d'un cortège); en prison, en classe, en mer, en voyage; en tous lieux; j'en reviens justement (de ce lieu).

Temps:

En une heure (durée); en janvier, en automne, en 1940; en même temps, de temps en temps; dimanche en huit; en ce temps-là (à cette époque); en temps de paix.

Matière:

En bois, en fer blanc, en nylon.

Manière, état:

En colère, en deuil, en guerre, en larmes; en préparation, en hâte, en bonne santé; en manches de chemise; en espalier, en colimaçon (en spirale); ils sont en accord parfait; voyager en avion.

But:

Mettre en vente; faire quelque chose en l'honneur de.

Changement, division:

Transformer, changer, métamorphoser en; casser en deux, se briser en mille morceaux; se ranger en bataille; mettre en train, en fuite; battre en retraite. Les grandes tragédies sont divisées en cinq actes.

Attitudes:

Je crois en Dieu; avoir confiance en ses amis. Voir les choses en grand. Il nous traite en idiots. Il se comporte en philosophe.

Gérondif:

En faisant ceci on néglige cela. Tout en se promenant, il observait les passants.

Mais on dit:

Dans la ville, dans l'avion, etc, pour marquer l'intérieur. Dans le temps (autrefois); dans une heure (point dans le temps); dans *sa* colère il proférait des menaces. Dans la philosophie de Platon.

Note. L'étudiant complètera ces listes au fur et à mesure qu'il lira du français.

La notion de limite

1. Le gérant de ma banque *a limité* mon crédit à 10 000 frs.

2. Quand les temps sont durs, il faut savoir *se limiter au* stricte nécessaire.

3. Quand on arrive *à la limite de* ses forces, on doit se donner du répit.

4. Comme nos fonds sont *limités*, nous ne dépasserons pas le prix convenu.

5. Le 19ᵉ siècle croyait à un progrès *illimité*.

6. Les chercheurs repoussent inlassablement *les bornes* de nos connaissances.

7. Il y a des esprits *bornés* qui ne comprennent rien à rien.

8. Les lois *mettent des bornes à* la cupidité des hommes.

9. Le désert s'étendait devant moi, *sans borne* et *sans limite*.

10. Jean, vous *excédez les bornes*, vous *allez trop loin*; vous m'agacez, à la fin.

11. Une lunette d'approche a deux *bouts*: un gros bout et un petit bout.

12. Il entrevoit la fin de son travail; il *arrive au bout de* ses peines. Maintenant il est à *bout de force*.

13. *Au bout de trois jours*, les vivres vinrent à manquer: nous en étions à notre dernier *bout* de pain.

14. Malgré son accident il est *arrivé à bout* de tous les obstacles.

15. M. Buvard n'est pas toujours commode; il faut savoir le prendre *par le bon bout.* On ne sait pas *par quel bout* commencer. (Par où, par quoi, comment.)

Bout exprime aussi une petite quantité: *un bout de papier.* On dit: Il a fait *un bout de chemin* avec moi. (Fam.)

16. *Mettons fin à* cet entretien, il n'a que trop duré.

17. La belle saison *tire (touche) à sa fin.*

18. Grâce à vos conseils, j'ai *mené* mon affaire *à bonne fin.*

19. Ce concert ne *prendra* donc jamais *fin!*

20. *En fin de compte,* cela ne veut pas dire grand-chose. (Finalement, à tout bien considérer.)

> *Le fin du fin* (raffinement extrême);
> *A quelle fin?* (dans quel but);
> *La fin* justifie-t-elle les moyens?
> Il *a fini par* perdre patience.

21. On m'a fixé *un terme* pour mon travail (*une date limite*).

22. *Mettez un terme à* vos discussions oiseuses (cessez).

23. *Le terme de la vie* (la mort); naître *avant terme; au terme de* notre voyage.

24. C'est un projet *à long terme,* que l'on n'entreprendra pas de sitôt.

Terme est un mot littéraire, légal, etc. Il exprime aussi un rapport avec autrui: Nous sommes *en bons termes* avec nos voisins. *Terme*= mot, expression: *un terme scientifique.*

Quelques limites:

Le bord de la table (le fin bord=very); la circonférence d'un cercle (d'une ville); la clôture d'un champ (haie, etc.); l'enceinte d'une ville (les murailles); la barrière, l'obstacle; la frontière d'un pays; le pourtour d'une propriété; l'orée (limite extérieure) d'un bois; le contour d'un visage; en bordure du chemin (de la rivière); une bordure d'arbres, de fourrure; la lisière des bois; à la périphérie; les confins du royaume (les frontières, les provinces les plus éloignées). Les extrémités du corps; le sommet, la cime, la crête d'une montagne; le fin fond d'une caverne, d'une question. **Cf.** notre liste des verbes marquant la fin de l'action.

Analyse d'un échiquier

1. L'échiquier est un grand carré subdivisé en huit bandes de huit carrés ou cases chacune. Il consiste ainsi de 64 cases.

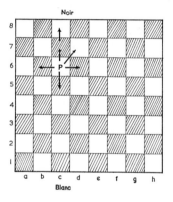

2. Les bandes longitudinales (horizontales) sont numerotées de 1 à 8. Les lettres de a à h renvoient aux bandes ou colonnes verticales. Combien y a-t-il de diagonales?

3. Les cases blanches alternent avec les noires. La case angulaire (d'angle) noire se trouve à main gauche du joueur.

4. L'échiquier plaît par sa régularité et sa symétrie, le jeu par la multiplicité de ses combinaisons et les belles pièces d'ivoire plaisent à l'oeil par leur majesté.

5. La pièce P se meut (bouge, marche, prend) en avant, en arrière (elle recule), de côté (à droite, à gauche), en diagonale. Elle avance d'une ou de plusieurs cases à la fois.

6. Au début du jeu, les pièces blanches sont placées (alignées) sur les bandes ou traverses 1 et 2. Elles sont en face des pièces noires sur les bandes 7 et 8. Blanc et noir se font face.

7. Aux échecs, comme dans beaucoup de jeux, les joueurs jouent à tour de rôle, et ne bougent qu'une pièce à la fois.

8. Comme le jeu se joue en silence, nous n'allons pas commenter la partie dans laquelle nos amis Pierre et Henri sont plongés.

Pour les amateurs d'échecs:

Les pièces: le Roi, la Dame, la Tour, le Fou, le Cavalier, le Pion.

Quelques termes: faire échec au Roi; faire mat en dix coups; une partie nulle; le roque (roquer = castle); prendre en passant; la promotion du Pion.

Suggestions:

Décrire d'autres jeux: cartes, Halma, Loto, Monopoly, etc. Quels sont les buts respectifs de ces jeux. Faire des diagrammes et décrire rapidement et avec précision.

Géometrie de tous les jours

1. A l'intersection de la (ligne) droite et de la courbe nous avons un point.

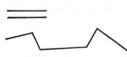

2. Ces deux lignes courent parallélement l'une à / avec l'autre. L'autre est «brisée», elle zigzague.

3. Une figure géometrique est délimitée par trois lignes droites (une ou deux s'il s'agit de courbes).

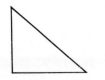

4. Voici un triangle à angle droit; la somme de ses angles est de 180 degrés.

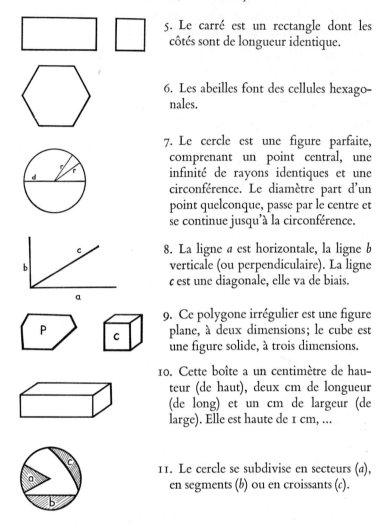

5. Le carré est un rectangle dont les côtés sont de longueur identique.

6. Les abeilles font des cellules hexagonales.

7. Le cercle est une figure parfaite, comprenant un point central, une infinité de rayons identiques et une circonférence. Le diamètre part d'un point quelconque, passe par le centre et se continue jusqu'à la circonférence.

8. La ligne *a* est horizontale, la ligne *b* verticale (ou perpendiculaire). La ligne *c* est une diagonale, elle va de biais.

9. Ce polygone irrégulier est une figure plane, à deux dimensions; le cube est une figure solide, à trois dimensions.

10. Cette boîte a un centimètre de hauteur (de haut), deux cm de longueur (de long) et un cm de largeur (de large). Elle est haute de 1 cm, ...

11. Le cercle se subdivise en secteurs (*a*), en segments (*b*) ou en croissants (*c*).

12. Les outils du géomètre sont les suivants: un crayon bien pointu (taillé); une règle, un compas; parfois un rapporteur (= protractor) et du papier quadrillé pour les graphiques.

Le temps et l'espace

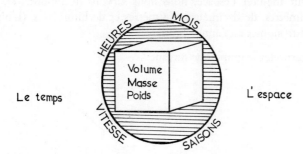

Le temps — L'espace

1. Notre vie se déroule dans le temps et l'espace.

2. Il y a un temps subjectif: si la leçon est amusante, l'heure nous semble courte; si la leçon est ennuyeuse, l'aiguille ne bouge pas de place, le temps s'arrête.

3. Il y a aussi un temps objectif que nous mesurons à l'aide d'une montre, d'une pendule, d'une horloge, d'un chronomètre, etc.

4. Nous divisons l'année solaire en douze mois, en cinquante-deux semaines, et trois-cent soixante-cinq jours. L'année bissextile a un jour de plus.
(L'année 1857 fut-elle une année bissextile? et 1900?)

5. Le jour se divise, lui, en vingt-quatre heures, l'heure en soixante minutes, la minute en soixante secondes.

6. L'espace qui nous entoure a trois dimensions: la longueur, la largeur, la hauteur. Quand on regarde un objet d'en haut, la hauteur devient alors profondeur.

7. Ce cube a un centimètre de long (de large, de haut).

Sa longueur (largeur, hauteur) est de 1 cm.
La Tour Eiffel est haute de 320 m, c'est une tour de 320 m de haut.
Les avions modernes volent à une très grande altitude.

Les bathysphères permettent de descendre dans les profondeurs de la mer (à une grande profondeur).

8. Pour mesurer l'espace, nous nous servons de millimètres, de centimètres, de décimètres, de mètres et de kilomètres. (L'unité des astronomes est l'année-lumière!)

9. Interprétez le graphique suivant :

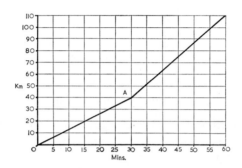

Vitesse moyenne ?
Distance parcourue ?
Temps pris pour parcourir 80 km ?
Est-ce que ce graphique nous dit
quelque chose sur l'état de la route ?

LA NOTION DU TEMPS

L'année et le jour

1. A ce stade, il ne devrait pas être nécessaire de revenir sur les noms de mois, sur les saisons, les jours de la semaine, ni sur les heures et les minutes. Ajoutons cependant aux notions connues les expressions suivantes:

L'avant-printemps; une saison tardive; en plein été, au gros de l'été (de l'hiver); l'été de la Saint Martin (11 octobre).

2. Le laitier se lève au petit jour (à l'aube, de bon matin, quand le jour commence à poindre).

Nous travaillons tous les matins (chaque matin); nous travaillons toute la matinée, de huit heures à midi.

Au début de la matinée; en fin de matinée.

Un beau matin il nous a quittés (un beau jour: aucun rapport avec le temps qu'il faisait alors! Mais: Par une belle matinée d'avril, les oiseaux sont revenus d'Afrique).

A midi; au milieu du jour, au milieu de la journée; à l'heure du déjeuner.

Au début de l'après-midi; au cours de l'après-midi; tout au long de l'après-midi. Entre quatre et cinq, nous faisions «un brin» de promenade (fam.).

Au coucher du soleil, au crépuscule, à la tombée de la nuit, à la fin du jour.

Quand il rentrait chez lui le soir, il trouvait la soupe sur la table.

En été nous passions nos soirées au jardin, en hiver devant le feu de cheminée à lire et à causer.

Les Dupont organisaient des soirées dansantes très réussies.

A minuit tout le monde se retirait dans sa chambre.

Il m'arrivait de me réveiller au milieu de la nuit.

La vie urbaine dépend en grande partie du travail qui se fait (pendant/durant) la nuit.

La nuit, tous les chats sont gris !

An — Année

An: unité du temps, non-affectif (temps vide), s'emploie en général avec un nombre.

Il y a trois ans, depuis cinq ans, pendant dix ans; j'ai passé (vécu) trois ans au Maroque. Il a vingt ans; il a fêté ses vingt ans; le jour de ses vingt ans. On l'a condamné à douze ans de prison. Le Nouvel An; le jour de l'an. Bon an, mal an. L'an mil(le); l'an de grâce 1225. Tous les ans; tous les deux ans.

Année: plus fréquent que *an*, plus affectif (temps plein).

Chaque année; l'année passée, l'année dernière; l'année prochaine; l'année précédente (d'avant); l'année suivante (d'après); d'année en année; une année sur deux; deux années de suite; au cours de l'année; au bout d'une année; il est parti pour une année (pour toute une année); une année bien remplie; de longues années.

L'année scolaire, fiscale, bissextile; l'année du couronnement; les années maigres. Souhaiter la bonne année; il a dû redoubler son année (il a doublé sa classe); louer à l'année; chargé d'années.

Voici la liste des noms pittoresques donnés aux mois de l'année durant la Révolution française:

Vendémiaire, brumaire, frimaire;
nivôse, pluviôse, ventôse;
germinal, floréal, prairial;
messidor, thermidor, fructidor.

Sources:

le vent, la brume, les frimas (frost, rime, etc.);
la neige, la pluie, le vent;
le germe (germiner), la fleur, la prairie;
la moisson, la chaleur (therm-), le fruit.

L'heure

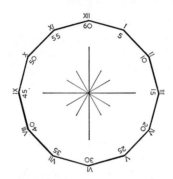

1. Arriver à l'heure (de bonne heure).

2. Mettre sa montre à l'heure.

3. C'est l'heure d'aller nous coucher.

4. Il a attendu (pendant) une heure.

5. La situation empire d'heure en heure.

6. On fait beaucoup de travail en une heure.

7. Nous avons rendez-vous à huit heures et quart.
   Nous avons pris rendez-vous pour six heures et demie.

8. Le trajet A–B prend une bonne heure, le trajet O–P une petite heure.

9. Le docteur X se mettait à opérer à dix heures sonnant (tapant).
   Ils se sont mis en marche sur le coup des une heure.

10. Vous me ferez part de vos intentions dans une heure au plus tard.

11. Il y a deux heures qu'il est parti d'ici.

3

Il y avait deux heures qu'il nous avait quittés.
Il était parti deux heures plus tôt.

12. Un syllogisme ambigu:

> Pierre est arrivé à midi,
> Or il est maintenant une heure,
> Pierre est donc ici depuis une heure!

Solution: Il y a donc une heure que Pierre est ici.

13. Il faut absolument que je sois prête *pour* (à) six heures vingt.

14. Expliquez les expressions suivantes:
Etre payé à l'heure; faire des heures supplémentaires; l'heure
d'été; demain à cette heure-ci; l'heure convenue (dite); à la bonne
heure! Vers (autour de) quatre heures; tout à l'heure; dix-sept
heures; à tout à l'heure; dès cette heure; sur l'heure; l'heure de la
sieste; l'heure du berger.

Moment — Instant

1. *A* ce moment (à cet instant) les troupes ennemies ont reçu du
renfort et notre infanterie a lâché pied.

2. *A* ce moment-là (à cette époque) l'Autriche dominait l'Europe.

3. *A* un moment *donné* (tout-à-coup) tout le monde s'est tu, puis
la conversation a repris de plus belle.

4. J'ouvris la porte de l'appartement. *Au* même instant, le télé-
phone se mit à sonner.

5. *Au* moment *de* se mettre au lit, Jeanne s'est souvenue de sa
promesse. Il était trop tard.

6. Patience! Nous serons à vous *dans* un (petit) instant / dans
quelques instants.

7. Un jour elle apprit que son ami n'était pas honnête. *Dès* ce
moment (dès cet instant, dès ce jour), elle refusa de le voir.

8. *Dès* l'instant *où* je le vis (dès que je le vis), je sus que nous serions
amis.

9. *Du moment que* vous n'êtes pas d'accord, nous ferions mieux
d'abandonner la partie. (Vu que, comme.)

10. Que faites-vous *en* ce moment? — Je suis en train de préparer ma thèse de doctorat.

11. *Par moments* nous sommes fort découragés, puis nous reprenons courage, nous remontons la pente.

12. *Pour le moment* (pour l'instant) la situation est calme, mais nous ne savons pas ce que nous réserve l'avenir.

13. Je n'ai pas fini, mon cher, j'en ai encore *pour* un bon moment.

14. *Sur le moment* nous avons été atterrés!

15. Je n'ai pas un moment à moi, pas un instant de répit.

16. *Un instant de plus* (une seconde de plus), et nous entrions en collision avec cette voiture.

17. Cette petite réparation ne prendra qu'un instant.

18. Cela s'est fait *en un clin d'oeil*.

Discuter les expressions suivantes:

Venez à l'instant!
Je l'attends d'un moment à l'autre.
Je l'apprends à l'instant.

Je n'en suis pas à deux minutes près.
A point nommé.
Interrompre à tout moment.
Faire quelque chose à temps perdu.
A la dernière minute.

Ce film n'est pas spectaculaire, mais il a quelques belles scènes. (It has its good moments.)

Remarquez qu'en français *moment* n'a pas le sens d'*importance*.

Momentous=important, capital, etc.
Momentary=momentané, passager.

L'Avenir

1. *L'avenir* = les temps futurs, les choses à venir.
Un bon père assure l'avenir de ses enfants.
Henri a un bel avenir devant lui, une belle carrière en perspective.
L'avenir lui rendra justice. (La postérité.)

2. Il arrivera...
demain, après-demain, dans trois jours, vers la fin de la semaine, dans huit jours, mardi en huit, dans une dizaine de jours, dans une quinzaine, dans six mois...

3. Il le fera...
dans un instant (moment), bientôt, sous peu, prochainement, à l'occasion, un de ces jours, dans quelques temps, un jour ou l'autre (une fois ou l'autre), à l'avenir, on ne sait quand...

4. A partir d'aujourd'hui
Dès aujourd'hui
Désormais   nous prendrons nos repas
Dorénavant   au restaurant.
A l'avenir

5. Il n'agira plus (jamais) de la sorte.
On ne l'y reprendra pas de sitôt.
Ce n'est pas pour demain, cela va prendre un certain temps.
Paul n'est pas près de se marier (on en reparlera dans quelques années).

6. Vocabulaire de l'avenir:

Songer à ses vacances; faire des projets d'avenir, faire des plans pour l'avenir; projeter une excursion pour la semaine suivante; proposer quelque chose, suggérer; prévoir à l'avance; prophétiser; le pronostic; prédire; cela ne présage rien de bon; conjecturer.
Il nous prépare une jolie surprise! Les songes sont parfois des prémonitions.
Remettre à plus tard; repousser; renvoyer à une date ultérieure; renvoyer aux calandes grecques (indéfiniment).
Au revoir, à bientôt, à tout à l'heure!

7. Dans la perspective
   du présent: du passé:

   demain   le lendemain
   après-demain   le surlendemain
   mardi prochain   le mardi suivant
   dans huit jours   huit jours plus tard
   dans un moment   un peu plus tard
   dans vingt ans   *Vingt ans après* (Dumas)
   prochainement   peu après, quelque temps après
   à partir d'aujourd'hui   à partir de ce jour, dès ce jour

8. Dans le discours indirect:

Il m'a dit que la voiture sera(it) prête demain.
Il leur promit que l'auto serait prête le lendemain.

Le client nous a fait dire qu'il signera(it) le contrat jeudi prochain.
Il nous fit dire qu'il signerait le contrat le jeudi suivant.

Nos voisins nous ont affirmé que la nouvelle école sera(it) inaugurée dans un mois.
Ces bonnes gens croyaient qu'elle serait inaugurée le mois suivant.

9. Un problème orthographique: 21 verbes redoublent le R au
futur et au conditionnel:

Il enverra, renverra; il acquerra; il conquerra, reconquerra; il
s'enquerra de; il requerra;
il courra, accourra, concourra, discourra, parcourra, recourra,
secourra;
il mourra;
il verra, reverra;
il pourra;
il décherra; ces contrats écherront le 15 courant.

«Tire la chevillette, la bobinette cherra.»

                              Le Petit Chaperon rouge.

Le Passé

Du point de vue du présent:	du passé:
hier	la veille
avant-hier	le jour précédent
il y a trois jours	deux jours plus tôt
dimanche (dernier)	trois jours auparavant
ces derniers temps	la semaine précédente
dernièrement	l'année d'avant, précédente
ce jour-là	il y avait quatre ans
l'année passée	il y avait longtemps
il y a longtemps	précédemment
alors	à une époque plus reculée, plus
à cette époque	ancienne
autrefois	autrefois
anciennement	précédemment

Depuis quand l'attendez-vous ?
Depuis quand l'attendiez-vous ? } Depuis midi; depuis 10 minutes.

Il y a combien de temps que vous l'attendez? que vous l'attendiez?
Il y a quarante minutes que je l'attends. ... que je l'attendais.

Voilà quinze jours que nous l'attendons.

Nous ne l'avons pas vu depuis dix jours.
Il y avait dix jours que nous ne l'avions pas vu.

Lors du couronnement.
Quand Bonaparte prit le pouvoir. Lorsque...
Dès que Napoléon eut quitté le champ de bataille...
Aussitôt qu'il eut débarqué (débarqua) en Provence...
A peine eut-il appris la nouvelle qu'il se remit en route.

Vocabulaire:

Un événement récent; ils se sont récemment mariés; ils ne sont pas mariés depuis longtemps; il n'y a que peu de temps qu'ils sont mariés.
Lors de leur rencontre précédente; lors d'une rencontre antérieure;

quand ils s'étaient rencontrés auparavant. Précédemment, les choses s'étaient passées d'une manière toute différente.

Une enquête préalable; nous avions fait une petite enquête au préalable.

Dernièrement (l'autre jour), j'ai vu un film invraisemblable.

Je l'ai aperçu tantôt=l'autre jour. (*Tantôt* veut aussi dire: bientôt, sous peu.)

Son ex-fiancé; feu mon père, feu la reine; le bon vieux temps; un ancien camarade; un vieux copain. Un chapeau démodé; un passeport périmé; ses manières sont un peu désuètes (surannées); un mot obsolète (qui a vieilli); une théorie dépassée; une pratique qui est tombée en désuétude; une caserne désaffectée; M. Poupon est tellement conservateur, archi-conservateur, très vieux-jeu.

Un papier défraîchi (faded wallpaper); une lettre jaunie.

Quelle vieille histoire tu nous réchauffes là!

Une (exposition) rétrospective. Révolu, caduc.

«Autant en emporte le vent.»

«Les Mémoires d'Outre-Tombe.'»

Histoire:

Les temps préhistoriques, légendaires; la préhistoire; cela remonte à la plus haute antiquité; les dynasties égyptiennes; le monde gréco-latin; sous le règne de Tibere; avant (après) Jésus-Christ.

L'invasion des barbares; le Moyen Age (la littérature médiévale, un château moyenâgeux); la Renaissance, la Réformation; les temps modernes; l'histoire moderne, grande et petite; le siècle de Louis XIV (du Roi Soleil); le siècle des Lumières (des philosophes, le dix-huitième); l'époque romantique; l'histoire contemporaine.

L'ère païen — l'ère chrétien

La Mémoire

Grâce à la mémoire, une des belles facultés de l'esprit, le passé n'est jamais complètement perdu pour nous. C'est elle qui fait revivre les bons moments de jadis et naguère. C'est elle qui nous rappelle telle scène de notre enfance, telle douleur que, sans elle, le temps aurait abolie, telle joie qui, remontant à un autrefois trop lointain, n'a laissé d'autre trace qu'un petit sillon dans la mémoire.

Ce que j'ai fait hier, avant-hier ou le jour précédent est presque aussi irrattrapable que les événements d'il y a un an, dix ans, vingt ans. L'eau coule si rapidement sous les ponts. Mais je me souviens, et je retiens par un bout ces époques qui menacent de s'engloutir dans l'oubli. Le bon vieux temps n'était peut-être pas aussi bon que ça : j'y tiens pourtant, et les illusions rétrospectives teintent en rose les déboires d'antan.

Il fut un temps où seuls le présent et l'avenir me préoccupaient, mais maintenant mon regard se porte le plus volontiers en arrière. Les temps révolus me hantent et j'accueille ces souvenirs comme de vieux amis. Qu'ils me délaissent... un album de photographies, les senteurs de mon jardin ou une association d'idées les rappellent vers moi et me rafraîchissent la mémoire.

— Depuis quand ne vous ai-je revus ?

— Depuis que nous jouions ensemble au jeu des souvenirs.

Du Changement

«Tempora mutantur, et nos mutamur in illis.» Les temps changent et nous changeons avec eux. Tout ce qui nous entoure est sujet à un changement perpétuel, plus ou moins perceptible. L'homme lui-même n'échappe pas à cette règle de la mutation générale. D'enfant il se mue en adolescent, puis il devient adulte. Les transformations que l'on observe dans la nature sont parfois fort surprenantes: quoi de plus spectaculaire que la métamorphose de la larve en papillon! Cette même nature métamorphose un maigre buisson en une cascade de fleurs; la fée transforme une citrouille en carrosse, et nous changeons le bois et le fer en objets d'art.

Tout changement représente un progrès vers un idéal ou, au contraire, une régression d'un état avancé à un état plus primitif; une amélioration ou une détérioration. Nous avançons ou nous reculons; nous progressons (nous allons de l'avant) ou nous régressons (nous faisons un pas en arrière); nous nous élevons ou nous retombons.

«Il y a dans le coeur humain une génération perpétuelle de passions, en sorte que la ruine de l'une est presque toujours l'établissement d'une autre» (La Rochefoucauld), et il y a dans la société des fluctuations que nous ne sommes pas toujours à même de comprendre.

Rien qui ne manifeste ce flux et ce reflux dans notre vie intime et publique. Nous «virons de bord» quand nous changeons de conviction politique; nous nous convertissons à une religion qui n'était pas la nôtre; nous faisons la révolution quand nous adoptons brusquement une nouvelle forme de gouvernement.

Augmenter — Diminuer

L'augmentation et la diminution suivent un rythme plus ou moins rapide, plus ou moins régulier. Une chose devient de plus en plus importante, de moins en moins banale, etc. Elle se fait peu à peu, petit à petit; elle change progressivement (graduellement), vite ou lentement. Une certaine situation peut se développer d'heure en heure, une métamorphose s'effectuer (s'opérer) en un clin d'oeil. Telle transformation se fait sans transition, tel développement passe par une multitude de stades. Les uns avancent à petits pas, les autres à pas de géant.

Le tableau qui suit se fonde sur la liste alphabétique de 80 adjectifs environ qui vous sont probablement tous connus. Presque chaque adjectif est précédé d'un substantif qui exprime la qualité abstraite. Il est suivi d'un verbe qui dit qu'une chose est en train de devenir plus grande (par exemple *grandir*), puis d'un autre qui indique que l'on rend quelque chose plus grand (*agrandir*), et finalement d'un substantif relatif à l'action de devenir ou de rendre plus grand (*croissance, agrandissement*). Dans certains cas les mots des différentes colonnes ne remplissent pas les fonctions énumérées ci-dessus. Les exemples donnés devraient suffire pour rendre leurs acceptions et leurs emplois compréhensibles.

Remarque: Les substantifs dérivés des verbes en -ir se terminent en -*issement*. Une exception dans notre liste: *le remplissage*.

	I	II	III	IV	V
1.	Aigreur	aigre	s'aigrir	aigrir	
2.	Amertume	amer			
3.	Ampleur Amplitude	ample	s'amplifier	amplifier	amplification
4.	Bassesse	bas, -se	baisser (se) s'abaisser	baisser, a- rabaisser	abaissement la baisse, le rabais
5.	Beauté	beau	embellir s'embellir	embellir	e...issement
6.	Brièveté	bref, -ève		abréger	abréviation
7.	Calme (m)	calme	se calmer	calmer	
8.	Chaleur	chaud	se chauffer s'échauffer (se r-)	chauffer réchauffer	chauffage
9.	Cherté	cher, -ère	renchérir chérir	renchérir	r...issement
10.	Clarté	claire	s'éclaircir	éclairer, -cir clarifier	é...issement cl...cation
11.	Commodité	commode	s'accommoder se raccommoder	accommoder raccommoder	ac...ation, -dement rac...dage
12.	Contentement	content	se contenter	contenter	
13.		court	se raccourcir	écourter raccourcir	r...issement
14.	Difficulté	difficile			
15.	Douceur	doux	s'adoucir se radoucir	adoucir	ad...issement
16.	Dureté	dur	(se) durcir s'endurcir	durcir endurcir	d...issement
17.	Egalité (Equation)	égale		égaliser égaler	é...sation
18.	Epaisseur	épais	s'épaissir	épaissir	é...issement
19.	Etroitesse (Exiguïté	étroit exigu, -uë, voir no. 54)	se rétrécir	rétrécir	r...issement
20.	Facilité	facile		faciliter	
21.	Fadeur (Fadaise)	fade	s'affadir	affadir	a...issement

1. III. Avec l'âge il s'est beaucoup aigri. IV. au figuré: une personne aigrie par la misère.

3. I. de la voix, de la pensée, II. son discours s'a. Nous avons d'amples provisions= amplement assez pour nos besoins. Prendre de l'ampleur (de l'envergure). (Divers emplois techniques.)

4. I. Un vice, faire des bassesses, III. la temperature baisse; se baisser pour ramasser quelque chose; s'abaisser à dire des mensonges, IV. (a)baisser des stores, quelqu'un (humilier), rab. le talent de (deprecate), V. l'ab. du niveau, de la température, la baisse des prix; acheter au rabais.

7. Un calmant (a sedative)

8. III. Il s'échauffe en parlant; il n'arrive pas à se réch. tant il a froid; IV. En hiver il se ch. comme il pouvait; un repas réch.; V. heating system.

9. III. la vie rench. de mois en mois; IV. Ce procédé rench. le prix; rench. sur quelqu'un=aller plus loin que cette personne, en action et en paroles (top !)

10. III. le ciel s'écl.; IV. éclaircir un mystère; V. obtenir des éclaircissements (renseignements, etc.); cet éclairage est excellent !

11. I. d'un lieu, de la vie (=confort); III. s'a. à toutes les circonstances (s'adapter); je m'ac. de n'importe quoi (=je ne suis pas difficile); s'ac. avec quelqu'un=se mettre d'accord (compromise); V. -ation=adaptation d'une chose à un certain usage; -ement=compromis, arrangement, en venir à un acc. (politique d'accommodement). Raccommodages=darning.

13. IV. écourter une visite; racc. un manteau. (A court de=short of.)

15. III. Le temps s'est beaucoup radouci. Après sa colère, il s'est (r)adouci.

17. IV. égaliser=rendre plus régulier, aplanir une surface; égaler=faire aussi bien; 2 et 2 égalent (font) 4; rien ne saurait égaler son jeu (il est imbattable).

19. I. des vues, de l'esprit; d'une rue. III.=se contracter. V. shrinking, shrinkage.

21. I. Dire (débiter) des fadaises (des choses plates, niaiseries); II. Fadasse=plat, sans goût; III. Les mets les plus savoureux finissent par s'affadir. IV. rendre sans vigueur; affadir un texte.

	I	II	III	IV	V
22.	Faiblesse	faible	faiblir	affaiblir amoindrir (voir no. 54)	a...issement
23.	Fausseté	faux, -sse	se fausser	fausser falsifier	f...fication
24.	Fermeté	ferme	se raffermir	raffermir	r...issement
25.	Finesse	fin	s'affiner se raffiner	affiner raffiner	a...nage (r...) raffinement
26.	Folie	fou	s'affoler	affoler	a...lement
27.	Fortitude Force	fort	se fortifier	fortifier renforcer	fortification renforcement
28.	Fraîcheur	frais, -aîche	fraîchir se rafraîchir	rafraîchir	r...issement
29.	Froideur	froid	se refroidir	refroidir	r...issement
30.	Gaîté	gai	s'égayer	égayer	égaiement
31.	Grandeur	grand	grandir, augmenter s'agrandir	agrandir augmenter	ag...issement aug...ation
32.		gras		engraisser graisser	e...ment (-age) g...age
33.	Gravité	grave	s'aggraver	aggraver	
34.	Grosseur	gros	grossir (s'ac)croître	grossir accroître	gr...issement croissance acc...ssement
35.	Hardiesse	hardi	s'enhardir	enhardir	
36.	Hauteur	haut	s'élever, se lever se hausser	élever rehausser	é...ation élevage
37.	Intensité	intense	s'intensifier	intensifier	i...cation
38.	Jeunesse	jeune	rajeunir	rajeunir	r...issement

23. I. d'une accusation; paroles mensongères. III. Une pièce de métal se fausse (=se déforme). IV. une clé, un jugement, la réalité. F. compagnie=partir sans prendre congé. Falsifier des comptes (accounts, ledgers, etc.) des documents, un vin= dénaturer pour induire en erreur.

25. III et IV. affiner et raffiner=plus ou moins synonymes. On raffine du sucre. Un goût raffiné.

27. III. Cet enfant s'est beaucoup fortifié à la montagne. F. une ville. Renforcer une structure branlante; une armée (lui envoyer des troupes, des renforts).

28. III. Le vent fraîchit. Le temps se rafraîchit. IV. rafraîchir une boisson. Prendre des rafraîchissements (=se sustenter). Une boisson rafraîchissante.

29. I. Au sens moral. V. Un refroidissement: cooling down; a cold (un rhume).

31. I. De quelle grandeur: what size? Stature morale. III. Un enfant grandit (pousse), les prix augmentent. IV. Agrandir une maison, un jardin. V. l'agrandissement d'une bibliothèque, l'augmentation des salaires. (cf. Haut)

32. IV. engraisser des cochons; graisser une machine. V. l'engraissement des animaux; le graissage d'une machine.

33. III. La situation, une maladie, s'aggrave (aggraver n'a pas le sens anglais d'énerver.)

34. III. Croître=grandir, se développer; cr. en nombre. Une fortune croît ou s'accroît. IV. Accroître son bien (l'augmenter, accumuler). V. La croissance d'un enfant, d'une ville. L'accroissement de sa fortune l'occupait jour et nuit.

35. III. Il s'enhardit à demander une augmentation de salaire. IV. encourager.

36. III. Je me lève à 7 heures. La tour de Babel s'élevait jusqu'au ciel. La somme s'élève (se monte) à 30 francs (elle est de 30 frs.) Se hausser sur la pointe des pieds. IV. Elever des enfants, un mât; rehausser un étage (l'élever, le surélever ou le rendre plus haut), le prestige de qqn, un dessin (lui donner plus de relief); hausser la voix, le ton, les épaules. V. l'élévation d'un esprit, d'une âme, d'une personne à un certain rang. L'élevage des chevaux. Pensons aussi à: soulever (un poids), faire monter, monter, hisser (se hisser).

	I	II	III	IV	V
39.		joli		enjoliver	enj...ment
40.	Laideur	laid	enlaidir	enlaidir	enl...issement
41.	Largeur	large	s'élargir	élargir	é...issement
42.	Légèreté	léger	s'alléger	alléger	allégement
43.	Lenteur	lent	ralentir	ralentir	r...issement
44.	Longueur	long	s'allonger	allonger rallonger	a...ment
45.	Lourdeur	lourd	s'alourdir	alourdir	a...issement
46.	Maigreur	maigre	maigrir	amaigrir	a...issement
47.		meilleur	s'améliorer	améliorer	a...ation
48.		menu	s'amenuiser	amenuiser	a...ment
49.	Minceur	mince	s'amincir	amincir	a...issement
50.	Modernité	moderne	se moderniser	moderniser	m...ation
51.	Mollesse	mou	mollir se ramollir	amollir ramollir	a...issement r...issement
52.	Nouveauté	nouveau	se renouveler	renouveler rénover	r...vellement r...ation
53.	Obscurité	obscur	s'obscurcir	obscurcir	obscurcissement
54.	Perfection	parfait	se perfectionner	perfectionner parfaire	p...ment
55.	Pauvreté	pauvre	s'appauvrir	appauvrir	a...issement

39. Cf. Beau

41. III. Aussi: (se) dilater, s'évaser, s'étendre. Elargir un prisonnier=le libérer, le relâcher.

43. Aussi: freiner (pour une automobile etc.).

44. IV. Rallonger une robe.

46. Amaigri (maigre, émacié).

52. IV. Rénover une salle de concert, un meuble. Renouveler un programme. Aussi: restaurer une maison.

54. IV. Parfaire un travail=le mener à la perfection, le parachever, le polir.

4

	I	II	III	IV	V
56.	Petitesse	petit	rapetisser	rapetisser	r...issement
			s'amoindrir	amoindrir	a...issement
			diminuer	diminuer	dim...tion
			se réduire	réduire	réduction
57.		pire	empirer, s'altérer	empirer, altérer	alt...ation
			se détériorer,	détériorer	d...ation
			dégénérer		dégénérescence
58.	Platitude	plat	s'aplatir	aplatir	a...issement
				aplanir	
59.	Plénitude	plein	se remplir	remplir	(r)em...age!
				emplir	
60.		prêt	s'apprêter	apprêter	a...age
			se préparer	préparer	p...ation
61.	Profondeur	profond	s'approfondir	approfondir	a...issement
				creuser	
62.	Propreté	propre	s'approprier	approprier	a...ation
			se nettoyer	nettoyer	n...age
63.	Pureté	pur	se purifier	purifier	p...cation
64.	Raideur	raide	se raidir	raidir	r...issement
				tendre	
65.	Rapidité	rapide	(s')accélérer	accélerer	a...ation
66.	Rareté	rare	se raréfier	raréfier	raréfaction
67.	Richesse	riche	s'enrichir	enrichir	e...issement
68.	Rondeur	rond	s'arrondir	arrondir	a...issement
69.	Sagesse	sage	s'assagir	assagir	a...issement
70.	Saleté	sale	se salir	salir	

56. I. Peu fréquent (p. de l'esprit); dite: l'exiguïté d'une pièce, la petite stature, le manque d'ampleur, la faiblesse, etc. III. les jours rapetissent. Le problème se réduit à peu de chose. IV. La distance rapetisse (amoindrit) les objets. Amoindrir un danger (minimiser). V. La réduction des salaires, des effectifs (= du personnel d'une armée); bénéficier d'une réduction (du prix d'achat).

57. S'altérer=jamais en bien! Un visage altéré, défait.

58. I. Il ne dit que des platitudes. Mais: l'égalité d'une surface, le calme de la mer, etc. IV. On aplanit un terrain avant de construire.

59. I. Terme moral. III. un bassin, etc. IV. emplir plus rare que remplir, souvent abstrait (de joie). V. remplissage: souvent péjoratif ('padding').

60. III. Julie s'apprête à partir pour le bal. IV. On apprête des aliments (sauces), des matériaux avant de s'en servir.

61. IV. Creuser un trou. C. une question (fam.)=l'étudier, l'approfondir. III. Le mystère s'approfondit.

62. III. S'approprier le bien d'autrui (voler, usurper). IV. Approprier les difficultés aux connaissances de l'élève (peu fréquent). V. les (gros) nettoyages de printemps.

64. II. La corde raide des saltimbanques. III. Se raidir devant le danger (etc.) (stiff upper lip!) IV. Raidir: peu fréquent. Tendre une corde. (Etendre du linge; s'étendre sur un lit et se détendre.)

65. III La machine accéléra. Mais, plus abstrait: le rythme s'accéléra.

68. V. L'action d'arrondir et le résultat. Pl.: les districts de Paris.

I	II	III	IV	V
71. Sécheresse	sec, sèche	sécher (se)	sécher	séchage
72. Simplicité	simple	se simplifier	simplifier	s...fication
73. Solidité	solide	se solidifier	solidifier	s...fication
74. (Obscurité)	sombre	s'obscurcir s'assombrir	obscurcir assombrir	o...issement a...issement
75. Sûreté	sûr	s'assurer (se r.) (se confirmer)	(r)assurer (confirmer)	assurance c...mation
76. Tendresse	tendre	s'attendrir	attendrir	a...issement
77. Timidité	timide		intimider	i...ation
78. Tristesse	triste	s'attrister	attrister	
79. Vide	vide	se vider	vider	vidange
80. Vieillesse	vieux	vieillir	vieillir	vieillissement

Pour *proche* et *loin* voir page 6.

71. III. Ce plâtre sèche très rapidement. Séchez-vous près du feu!

74. III. Le ciel s'obscurcit (s'assombrit) tout à coup. Son visage s'assombrit. IV. Ce rideau obscurcit (assombrit) la pièce. Les douleurs assombrissent la vie.

75. III. Les nouvelles se sont confirmées (= se sont avérées justes). Je me suis assuré de son départ (qu'il est bien parti.) Rassurez-vous, sa maladie n'est pas grave. IV. Je vous assure que mes intentions sont honorables. Il lui faut rassurer sa femme qui est si appréhensive. V. Il a pris une assurance «tous-risques». (Une maison d'assurance = insurance company.)

79. V. Draining of cesspools, casks, etc.

Les étapes de la vie

0   la naissance
    le nouveau-né

3 s. le nourrisson
    le bébé   la petite enfance

2 a. le garçonnet
    la fillette

    le petit garçon   l'enfance
    la petite fille

10 a. le garçon
    la fille

15 a. l'adolescent(e)   la puberté
    le jeune homme   l'adolescence
    la jeune fille

20 a. l'adulte   la première maturité
    la jeune femme
    l'homme marié
    le couple

30 a. «La Femme de trente ans» (Balzac) la pleine maturité
    Il a entre 30 et 40 ans
    Il est dans la trentaine

40 a. Il a une quarantaine d'années   la fleur de l'âge
                           la force de l'âge
    Il approche de la cinquantaine

55 a. Il est entre deux âges
    Elle n'a pas d'âge

60 a. Un sexagénaire
    Un homme d'un certain âge
                           la vieillesse

70 a. Un septuagénaire

80 a. Un octogénaire   l'extrême vieillesse

90 a. Un nonagénaire

100 a. Il / elle est centenaire

       Le mort, la morte,
       le défunt, la défunte

L'âge légal:

0–21 la minorité; les mineurs; ses enfants sont encore mineurs.

A 21 ans on atteint la majorité.
La majorité pénale commence à 18 ans.
On appelle aussi puberté l'âge auquel la loi permet de se marier.
(Ces différentes limites varient selon les pays.)

L'état civil:

Marié; un mari, un époux; sa femme, son épouse; les conjoints. Il
est père de famille.
Divorce; le divorce.
Veuf, veuve; le veuvage.
Célibataire; je suis resté garçon et ma soeur est restée fille; le vieux
garçon, la vieille fille.
Retraité (le); celui qui a pris sa retraite; celui qu'on a mis à la retraite.

Expressions utiles:

1. Les enfants de Madeleine sont encore en bas âge.

2. Cet enfant grandit rapidement; comme il pousse, comme il se
développe bien!

3. Sa croissance est trop rapide. Gare à l'anémie!

4. Vers sept ans on prend conscience de ses actes, c'est le début de
l'âge de raison.

5. Son fils aîné est à l'âge ingrat et il est fort pénible.

6. On ne lui donnerait pas son âge; il ne porte pas son âge; il
porte allègrement son âge; on lui donnerait dix ans de moins.

7. Il n'a pas quarante ans, mais on lui en donnerait plus.

8. Il est au tournant de l'âge; sur le retour; sur le déclin de la vie.

9. Il vieillit; il se fait vieux; il baisse sensiblement; il décline; il prend de l'âge; il avance en âge.

10. Il retombe en enfance; il n'a plus toutes ses facultés; il devient sénile (la sénilité).

11. Un mot qui surprend: *la garçonne*: c'est une jeune fille qui mène la vie indépendante de garçon.

CATEGORIES

Les activités de l'esprit

«Il y a trois principes admirables dans l'esprit: l'imagination, la réflexion et la mémoire.» Ainsi parlait Vauvenargues vers 1740.[1] Et voici comment le moraliste définit ces facultés: «J'appelle imagination le don de concevoir les choses d'une manière figurée et de rendre ses pensées par des images [...] La réflexion est la puissance de se replier sur ses idées, de les examiner, de les modifier ou de les combiner de diverses manières [...] La mémoire conserve le précieux dépôt de l'imagination et de la réflexion [...] Imaginer, réfléchir, se souvenir, voilà les trois principales facultés de notre esprit.»

A la suite de ces définitions classiques, nous donnons ici un petit lexique des activités de l'esprit et du contenu de la conscience:

1. Pour résoudre un problème difficile, il faut beaucoup réfléchir. Je réfléchis *à* ce que vous m'avez suggéré. Toute réflexion faite, l'obstacle n'est pas insurmontable.

2. Mon cher ami, je pense toujours *à* toi; tu sais ce que je pense *de* tes qualités, quelle est mon opinion *de* (*sur*) toi, combien je tiens à toi. (I am thinking=je pense. I think that=je pense que.)

3. Je pense (j'imagine, je crois) qu'ils n'arriveront pas avant trois heures. La pensée de cet auteur est obscure. Mes pensées ne regardent personne. Vous êtes bien pensive aujourd'hui, Isabelle!

4. Songer, c'est rêver ou penser *à* quelque chose. Songez à ce qu'il vous a dit (réfléchissez-y, n'oubliez pas). La réaction de mon ami m'a laissé songeur (rêveur).

[1] *Introduction à la connaissance de l'esprit humain*, livre I, chapitre I, Paris, 1742.

5. Celui qui dort fait de beaux rêves; celui qui est éveillé s'abandonne parfois à de douces rêveries. Nous rêvons tous à un avenir meilleur. Un élève inattentif rêvasse!

6. Je m'imagine (je me figure) que ton oncle descendra à l'Hôtel Victoria, ne crois-tu pas? Imaginez un parc anglais, ses chênes majestueux, son étang au clair de lune!

7. J'estime que vous avez assez travaillé aujourd'hui. (Il me semble.)

8. A voir ton embarras, je devine que tu as quelque chose de grave à m'apprendre. Une devinette: Pourquoi est-ce que la chauve-souris dort la tête en bas? Pour que le sang ne lui monte pas à la tête!

9. Tu ne te rends pas compte. Le pauvre est complètement fou: il croit tout ce qu'on lui dit,[1] il voit tout de travers. Quoi qu'on lui dise, il abonde dans votre sens, sa naïveté est inconcevable!

10. Avant de se lancer dans une aventure hasardeuse, il faut être conscient des buts à atteindre, des moyens disponibles et des obstacles; ne pas prendre les apparences pour des certitudes; ne pas se leurrer sur la nature de l'entreprise; voir les choses en face; envisager des compromis[2] et combiner la hardiesse avec la prudence.

11. L'esprit travaille sur des idées, des notions, des concepts. Il raisonne, il associe des idées, il se livre à des calculs, il médite. Il pèse le pour et le contre. Il tempère la logique par l'intuition. S'il raisonne mal, il convient de (admet) son erreur. Il soutient avec force une idée qui lui semble juste; il apporte des preuves. L'analyse lui permet d'approfondir un problème et de passer un jugement équitable. Il fait le tour de plusieurs idées contradictoires, il les compare et en fait (tire) la synthèse. Il s'attaque *aux* causes et aux effets. Il se méfie des impressions et des suppositions, mais il peut avoir des arrière-pensées: il formule des hypothèses. Il est tout à la fois réfléchi, inventif, méditatif et spéculatif. Lucide, il croit à la force de la raison — mais il ne se fait pas d'illusions *sur* lui-même.

---

[1] Mais: Je crois *au* progrès; je crois *en* Dieu.
[2] Compromettre = put in jeopardy, imperil, endanger.

Sensations et sentiments

1. Sens donc cette rose, Marie, elle sent *bon*!
Cette pièce sent le moisi. Ça sent la trahison.
Si vous vous sentez mal, n'hésitez pas à sortir.
Sa mère a tout de suite senti que quelque chose n'allait pas.

2. Ce que vous me dites là n'a pas de sens. Quel non-sens!
Jules n'a pas appris son latin et il a fait de nombreux contresens.

L'homme a cinq sens: la vue, l'ouïe, l'odorat, le goût et le toucher (on parle parfois d'un sixième sens: l'intuition).

Certains mots ont plusieurs sens ou acceptions: concrets ou abstraits, littéraux ou figurés. (Lieu, par exemple, peut vouloir dire *endroit*, ou exprimer l'opportunité: *il y a lieu de se réjouir*, ou des réflexions banales: *lieux communs*, ou l'idée de remplacement: *au lieu de*. Les mots à double sens se prêtent aux calembours (puns).)

Quand je dis à quelqu'un «je suis tout-à-fait d'accord avec vous», j'abonde dans son sens.

Dans quel sens: dans quelle direction?

3. Quand un organe sensoriel (nerf) est stimulé, nous éprouvons une sensation de chaleur, de froid, de bien-être physique, etc. Notre peau est sensible à la chaleur, au froid, etc. Anesthésiée, elle devient insensible.
Cette sensibilité varie énormément d'une personne à l'autre.
En rêve on peut avoir la sensation (l'impression) de voler.

Une personne *sensible* est aisément blessée ou froissée. Si sa sensibilité est excessive, on dira d'elle qu'elle est hyper-sensible. (Cf. le mot anglais *sensitive*.)

4. J'ai une nouvelle sensationnelle à vous annoncer: en dépit d'un pressentiment contraire — j'avais pressenti un échec — j'ai été reçu à tous mes examens. Cette réussite a fait sensation à la maison, et mes parents ont ressenti une très grande joie. (Pressentir qn=to sound someone.)

5. Une sensation morale ou affective s'appelle un sentiment.
Nous avons tous le sentiment de la justice, de l'honneur, etc.

Voulez-vous que je vous dise mon sentiment là-dessus ?
On a, on montre, on exprime des sentiments; parfois on agit par
sentiment plutôt que par raison.

«Le sentiment de nos forces les augmente.» (Vauvenargues.)
Le sentiment (amour, admiration, patriotisme ou autre) un peu
mièvre ou de mauvais goût s'appelle sentimentalité.

6. On dit d'une personne qui a beaucoup de bon sens qu'elle est
sensée. On peut être sensible sans être sensé et vice versa.
Les paroles de ce politicien sont insensées (parfaitement ridicules).
Mais: *incensed*= outré, hors de soi.

7. Georges ne dit que des bêtises, il déraisonne, il n'a pas le sens
commun. (Senseless.)

Il était couché par terre, évanoui, sans connaissance. (In a faint,
senseless.)
Le bandit a assommé sa victime. (Knocked him senseless.)

8. Mon père consent à ce que nous fassions ce voyage ensemble. Il
nous a donné son consentement; nous partons avec son plein
assentiment.

9. Après un dissentiment initial, un moment de désaccord, nous
nous sommes quittés sans nul ressentiment.

Le début de l'action

1. Notre professeur *commença à* (*de*) parler.
Il commença *par* le commencement, par les rudiments.
Il commença *par* nous raconter la vie de l'auteur.
Il commença son cours *en* nous recommandant de ne pas prendre trop de notes.

Après *commencer* + *complément direct* on ne peut pas mettre *par* + *infinitif*. Ici il vaudrait mieux dire: il commença par nous recommander, ou: il commença par une recommandation.

2. La soirée *débuta par* une brillante ouverture de Mozart.
Le violoniste avait fait ses débuts dans un petit orchestre de province.
Après des débuts obscurs, il connut enfin la célébrité.

3. Paul *s'est mis* plus tôt à la lecture que son frère.
Le candidat réfléchit un instant, puis il se mit à écrire furieusement.
La mise en train d'un gros ouvrage demande beaucoup de réflexion.
C'est un ingénieur mexicain qui a mis en train l'exploitation de cette mine d'argent.
On aurait cru que la machine s'était mise en marche toute seule.

4. Il *s'est lancé* dans sa composition comme un soldat se lance à l'assaut.
Le coup de pistolet parti, les jeunes coureurs s'élancèrent.
Une fois lancés (partis), ils ne s'arrêtèrent que lorsqu'ils eurent atteint le but.

5. La municipalité *a entrepris* des travaux de reconstruction. C'est le parti de gauche qui a *pris l'initiative* et qui a fait les premières *démarches* (le premier pas). On *a entamé* une discussion; les membres des autres partis sont entrés dans les vues de leurs collègues, et on *s'est embarqué* dans l'affaire. Le conseil *s'est mis en contact* avec les ingénieurs et les architectes et on a très vite *abordé* des questions de détail... Lorsqu'on *s'engage dans* une certaine voie, il est parfois presque impossible de revenir sur ses pas.

6. Il y a des questions qu'on n'*aborde* qu'avec beaucoup de circonspection: on y touche prudemment avant de les traiter à fond.

*Partant d'*une idée simple, il a créé un vaste système. Il a *conçu* un plan qui a éveillé la curiosité de ses supérieurs.

Cet hôpital fut *fondé* en 1285; sa fondation remonte donc au treizième siècle.

Cet établissement (cette institution) *date de* 1850.

7. Le français se sert parfois du *passé simple* (passé historique) pour marquer le début d'une action ou d'un état de choses, surtout si le verbe est accompagné d'adverbes et de locutions adverbiales:

Il eut une révélation soudaine.
Tout à coup il prit peur; il fut pris de vertige.
Il sut d'emblée que cette décision serait irrévocable.
Alors il fut saisi par des remords qui ne lui laissèrent plus de répit.
Il prit conscience de l'état désespéré de la situation.
Marie leva les yeux et laissa errer son regard sur la plaine.
Un coup de vent brutal annonça la tempête.
Moïse frappa le rocher et l'eau jaillit. (Cf. p. 90.)

8. Paul *incite* ses camarades *à* la révolte; il les *pousse à* la rébellion; il est *l'instigateur* d'un complot dont la découverte provoque une réaction instantanée et vaine de la part de la direction. Les impertinences de Paul *préludent* (*à*) une lutte prolongée. Mais grâce à son tact, M. Ridoux arrive à *amorcer* une discussion plus fructueuse avec ses élèves.

9. Etudier les expressions suivantes:

A partir de cinq heures; le point de départ; l'entrée en matière; de prime abord; à première vue; dès la première phrase; à l'origine; la *première*; inaugurer une nouvelle école; un *vernissage*; l'ouverture de la séance; un coup d'essai; un ballon d'essai; mettre en branle; la vitesse initiale.

«Au commencement était le Verbe
et le Verbe était avec Dieu.»

La cause et la raison

1. Quelle est *la cause* directe de la mort? L'arrêt du coeur.
Qu'est ce qui a causé sa mort? il s'est noyé.
De quoi est-il mort? D'une angine de poitrine.

2. *Pourquoi* l'a-t-on puni? Pour avoir été insolent.
Pour insubordination.
A quoi *attribuez*-vous sa trahison? A son manque de loyauté.
Comment se fait-il que vous abandonniez la partie? Faute d'argent
je ne peux plus continuer.

3. *Comment expliquez-vous* le départ de Pierre? Il a pris peur.
(S'il est parti, c'est qu'il a pris peur.)
Avez-vous une bonne *raison* pour démissionner? La raison en est
simple: je m'entends mal avec mon directeur.
Quel *prétexte* avez-vous *allégué* pour quitter la séance? J'ai pré-
texté une migraine, c'est tout.

4. Comment se fait-il que Roger ne soit pas ici? Il est absent *pour
raison de* santé (*pour cause de* santé).
Il n'est pas admissible au concours *en raison de* son âge.

5. *C'est* par lassitude plutôt que par manque d'enthousiasme *que*
nous avons suivi les chemins battus.
A force de parler français, il ne sait plus l'anglais. Grâce à son appui,
j'ai obtenu le poste que je convoitais.

6. *Etant donné* l'état de ses finances, nous ne lui demanderons plus
rien.
Il n'écoute jamais les autres, *tant* il aime s'écouter parler.
Telle était sa charité (sa charité était si grande), *qu'il* mourut dans
la plus abjecte misère.

7. *Comme* il est grand liseur, il passe le plus clair de son temps à la
bibliothèque. (La plus grande partie de son temps.)

Puisque vous ne voulez pas nous accompagner, nous partirons
sans vous.
Nous resterons chez nous, puisque vous ne voulez absolument pas
sortir ce soir.

Mon père m'a donné une gifle *parce que* j'ai été impertinent.

Comme il nous l'a interdit, nous n'entrerons pas dans sa chambre.
Nous n'entrerons pas dans sa chambre parce qu'il nous l'a interdit.
N'entrons pas dans sa chambre, puisqu'il nous l'a interdit. (*Puisque*
est un peu plus emphatique.)

8. *Vu* le beau temps, filons pour la campagne.
Vu que le temps a l'air de s'améliorer, mettons-nous en route sans
plus tarder.

9. *Attendu que* vous êtes coupables de tous ces crimes, nous vous
condamnons à trois ans de prison. (Langue juridique.)

10. Comme il est en retard et que nous sommes pressés...
Puisqu'il s'est excusé et que nous n'avons pas besoin de l'attendre, ...

11. On peut remplacer *parce que* par *car* quand, au lieu d'expliquer
le pourquoi d'une chose, on veut apporter une preuve à l'appui de
ce qu'on avance. *Car* sert à convaincre (et la subordonnée qu'il
introduit pourrait se mettre entre parenthèses).

«Maître, nous savons que tu es sincère et que tu ne te soucies de
personne, car tu ne regardes pas l'apparence des gens, mais tu
enseignes...» (St. Marc.)

Car, de nos jours, est avant tout un mot de la langue littéraire.

12. Le comportement de la matière est déterminé par des lois im-
muables: il n'y a pas d'effet sans cause. La cause de tout changement est toujours double:

Un oeuf se casse parce que je le laisse tomber par maladresse, et
en raison de sa fragilité.

Dans le comportement humain, la même règle se retrouve:

Mon père me bat, parce que j'ai désobéi et parce que mon père
est un homme violent.

Remarque: L'expression de la causalité empiète sur celle de l'intention, de la temporalité, de la condition, de la concession, de la comparaison, etc.
Citons quatre exemples:

Du moment que vous êtes remis, remettez-vous au travail. Votre
amabilité est *d'autant plus* louable *que* vous ne nous devez rien.

Plus la vie renchérit, *plus* nous sommes mécontents. *Si belles que* soient vos promesses, nous serons prudents (cause négative de notre prudence, concession.)

Le but et l'intention

La cause finale

Nos gestes ne sont que fort rarement des «actes gratuits». Nous agissons presque toujours en vue de quelque chose, pour obtenir un certain résultat, dans une intention particulière, ou encore pour éviter tel ou tel inconvénient. Remarquons en passant que l'on ne distingue pas toujours clairement entre la cause qui nous pousse à vouloir (l'origine de notre désir) et le contenu effectif de notre volonté (le but de notre action, ou cause finale).

Réduite à sa plus simple expression, l'intention se trouve, implicite, dans les prépositions *à* et *de*, explicite dans la préposition *pour* :

1. Une brosse à habit (elle est faite «ainsi» *pour* faciliter le brossage); une machine à coudre (faite *en vue de* la couture); une soupape de sûreté (placée là *afin* d'éviter un accident possible); histoire *de rire* (on fait ça *pour* rigoler un peu).

2. Pourquoi descendez-vous en ville ? — *Pour* y faire des emplettes. Des rideaux neufs pour la cuisine. (Ici le but et la destination se chevauchent.)
Puis-je me servir de ta machine à écrire pour taper une lettre ? — Mais oui, bien sûr, c'est fait pour cela !

3. On a placé ici une barrière *pour (afin) que* les enfants puissent jouer sans danger / pour (afin) qu'ils ne tombent pas / *pour empêcher* qu'ils (ne) tombent dans l'eau / *de crainte (peur) qu'ils* ne se fassent mal / *de sorte qu'*il n'y ait pas d'accident.

4. *Dans quel but* avez-vous entrepris ces recherches ? Quelles sont vos *intentions* ? — Eh bien, j'ai l'intention de publier un livre. Je fais des recherches supplémentaires *en vue de* la publication de ma thèse.

5

Il revient à la charge, il insiste lourdement, *dans le seul but* de nous tracasser.

Un but d'excursion ? Voyons... je propose que nous allions explorer les cavernes, là-haut dans la montagne.

5. *A quelle fin* avez-vous suggéré l'abandon d'un projet si raisonnable ? — *A la seule fin* de découvrir si notre secrétaire est capable de le défendre contre toute opposition. (*Rien que pour* savoir ..., *de façon à savoir* ..., *de manière à apprendre si*...)

Il travaille *à des fins* purement philanthropiques (non lucratives ou honorifiques).

6. Tu nous parles *comme si tu voulais* nous convaincre de la chose, mais telle ne peut être ton intention.

7. Je cherche une secrétaire compétente *qui puisse* me décharger de certaines de mes obligations.

8. Dans les Alpes les montagnards *prennent des précautions* contre les avalanches.

9. *En prévision de la pluie,* nous nous sommes munis d'une tente bien étanche.

Effets, suites et conséquences

1. Il est mort *des suites* d'un accident.
Cette affaire est restée sans suite.
La petite émeute de janvier *n'a pas eu de suites* graves.
La guerre est déclarée; *il s'ensuit que* les hommes sont mobilisés et que les écoles sont fermées.

2. Jean ne se soucie guère *des conséquences* possibles de ses actes.
Nos faits et gestes peuvent *avoir des conséquences* incalculables.
Cet élève n'a pas fait ses devoirs. *En conséquence*, il ne sortira pas jeudi. Il sera en retenue.
Tous les services publiques sont en grève. *Par conséquent*, je me vois obligé de me rendre à mon travail à pied.

3. La démission de notre trésorier a eu de sérieuses *répercussions*.

4. Nos démarches auprès des autorités n'ont pas *obtenu les résultats attendus*. Nous ne comptions du reste pas sur *des résultats immédiats*, mais cet échec nous laisse perplexes.

5. Son manque d'expérience a *résulté* en un déficit de 30 000 francs.

6. Une seule bataille perdue peut *entraîner* la défaite de toute l'armée.

7. Ses stupides mensonges ont beaucoup *nui* à sa réputation.

8. Le petit Descazes *exerce une influence* néfaste sur les enfants de ma voisine.
Tous les hommes, même les plus forts, *subissent des influences* auxquelles ils ne peuvent pas se soustraire.

9. Ni les promesses ni les punitions *n'ont d'effet* sur Charles, tant il est buté.
Vous trouvez ça beau ? Ce tableau ne me *fait* aucun *effet*. *Il n'y a pas d'effet sans cause.*

10. Il aime beaucoup les mathématiques, de sorte qu'il s'est inscrit à la faculté des sciences pour y étudier sa branche favorite. (Fait, indicatif.)
Il s'y est pris de *telle sorte que* la roue ne tournait librement que dans un sens. (Fait.)

Je lui écrirai une belle lettre, *de façon à ce qu'*elle ne trouve rien à redire. (But à atteindre, subjonctif.)

Il l'a continuellement vexée, *si bien qu'*elle a fini par s'en aller (par le «plaquer»).

Il l'a *tellement* vexée *qu'*elle a fini...

Il l'a vexée *à tel point qu'*elle a fini...

11. Qu'a-t-il bien pu manger *(pour) qu'*il ait si mal au ventre ?

Rien ne se passe au village, *que* la population n'en soit aussitôt avertie (que les gens ne le sachent aussitôt).

12. Jean n'est pas *assez* naïf *pour qu'*on lui fasse «avaler» n'importe quoi (pour lui faire accroire...).

13. Il a cherché partout un livre amusant *qui puisse* m'égayer un peu (= qui ait pour effet de me désennuyer).

14. L'oncle impatiemment attendu ne venait toujours pas; *aussi* nous sommes-nous mis à table sans lui. (En conséquence.)

15. Paul a gagné le gros lot; il peut *ainsi (donc)* s'offrir toutes les croisières qu'il voudra.

Ainsi se trouve souvent dans un contexte assez lâche, alors que *donc* exprime la conséquence logique des arguments présentés.

Note: Le lecteur trouvera des expressions complémentaires dans la grammaire de M. Mauger (pp. 329–40).

La concession

«Le lièvre et la tortue»

1. *Malgré* sa lenteur, la tortue a battu le lièvre à la course.
   En dépit de sa lenteur proverbiale, ...

2. *Bien qu*'elle *soit* très lente, ...
   Bien que lente, ...
   Quoiqu'elle *soit* très lente, ...
   Quoique lente, ...

3. *Encore qu*'elle *soit* d'une lenteur exaspérante, ...

4. La tortue *a beau être* lente, elle *ne* perd *pas* la course (*pour autant*).

5. *Toute* lente qu'elle est (soit), la tortue...

6. *Pour être* lente, la tortue *n*'en arrive *pas moins* au but.

7. La tortue est lente, *soit*; *pourtant* elle a battu le lièvre.
   (*il*) *n'empêche* qu'elle a...
   mais elle *n*'a *pas* perdu la course *pour autant*.
   toujours est-il que c'est elle qui a gagné.

8. *Même si* elle était
   Quand même elle serait ⎱ plus lente, elle finirait peut-être *quand*
   Serait-elle ⎰ *même* par gagner.
   Fût-elle

9. Le lièvre a perdu: il *ne* se porte *pas* moins bien *pour cela!*

PROBLEMES DIVERS

Ma main ou La main

1. Les mots désignant les parties du corps suivent la règle générale :

> *On se sert de l'adjectif possessif*
> *pour marquer la possession.*

Le texte suivant illustre cette règle :

« Tout lui faisait mal : sa tête, son cou, sa poitrine, ses membres. Ses oreilles bourdonnaient. Il sentait battre son coeur à grands coups ; il entendait siffler ses poumons. Ses cheveux blonds collaient à son front et ses dents claquaient. Il ne savait s'il avait chaud ou froid, tant sa peau semblait susceptible à la température ambiante. Il sentait ses muscles se contracter et se décontracter. Sa gorge desséchée refusait d'avaler l'eau qu'on portait à sa bouche.

On prenait régulièrement sa température, on surveillait son coeur et sa respiration, on épongeait sa figure baignée de sueur et on injectait quelque sérum dans ses veines déjà surmenées. Lucide par moments, il craignait que son cerveau ne fût atteint. »

Remarques : Il serait possible de remplacer les adjectifs possessifs par des articles définis. On aurait alors une espèce de rapport impersonnel, le diagnostique d'un cas :

« Tout était douloureux : la tête, le cou, la poitrine, les membres. Ses oreilles devaient bourdonner. Le coeur battait fortement… »

(Ou alors, au présent, comme description d'une maladie dans un manuel de pathologie.

Règlement : A l'armée, les cheveux se portent courts.

En général, nous ne recommandons pas à l'étudiant d'adopter ce style un peu artificiel.)

A de rares exceptions près, on met l'adjectif possessif quand le substantif est *qualifié*:

La moustache lui va bien.
Sa longue moustache lui allait à ravir.
Il aime Marie, il caresse ses longs cheveux noirs.

2. Cas dans lesquels on remplace l'adjectif possessif par l'article défini:

(*a*) *Avec avoir*:

Il a les yeux bleus.
Elle avait toujours la bouche ouverte.
Ce boxeur a le nez cassé.

(*b*) *Lorsque l'action est dirigée vers la personne indiquée par un pronom personnel*:

Il s'est mis le doigt dans l'oeil (il s'est trompé grossièrement).
Il m'a pris par le bras.
On lui a tiré une épine du pouce / une balle dans la tête.
Il lui a tapé sur les doigts.
Son maître lui a mis un bonnet d'âne sur la tête (sur les oreilles).

(*c*) Plus important que les règles est *l'usage*. Or l'usage veut qu'après certains verbes, dans des circonstances très communes,[1] on mette normalement l'article défini devant les parties du corps. Voici une liste des expressions les plus fréquentes:

Avoir froid aux mains, mal à la tête, le nez retroussé, la langue bien pendue.
Baisser les yeux.
Se boucher les oreilles.
Se brosser les dents.
Se casser le bras.
Se cogner la jambe.
Cligner de l'oeil.
Se creuser la cervelle (les méninges): familier=réfléchir profondément.

[1] Ce que Mansion appelle 'the commoner actions and states of daily life', in *A Grammar of Present Day French*.

Donner la main à un enfant.
Se donner un coup à la tête (to bang one's head).
Dresser l'oreille.
Faire oui / non de la tête.
Se faire couper les cheveux.
Fermer la bouche.
Froncer les sourcils.
Se frotter la joue.
Se gratter le nez.
Grincer des dents.
Hausser les épaules.
Hocher la tête.
Se laver les mains.
Lever les bras au ciel, la main gauche, etc.
Se mettre *à genoux*.
Mettre la main sur (trouver), le doigt sur (trouver la solution).
Montrer du doigt.
Ouvrir la bouche.
Perdre la vie, la mémoire (retrouver la m.).
Se pincer les lèvres.
Prendre par le bras.
Se rincer la bouche.
Serrer la main à qqn.
Suivre des yeux, du doigt.
Tendre l'oreille, prêter l'oreille.
Tenir les pouces à qqn. (familier).
Tirer la langue.
Tomber sur le dos.

Mais :

Il gratte son long nez pointu !
Elle lui donna sa main (elle accepta son offre de mariage).

(*d*) *Constructions absolues :*

Les mains dans les poches, le chapeau sur l'oreille, la cigarette au bec, il faisait sa tournée des bistrots.
L'air hagard, elle regardait autour d'elle.
La figure en sang, le pugiliste a dû se retirer de l'arène.
Paul se tenait là à ne rien faire, le sourire aux lèvres, l'esprit ailleurs.

Une phrase de Georges Simenon:

«Lhomond avait le front et la nuque couverts de sueur et il lui semblait que son cou était gonflé, que les yeux lui sortaient de la tête.»

A ce propos, une question pertinente: Pourquoi ne pas lire un «Simenon» à ce stade?

C'est — Il est

Le choix entre *c'est* et *il est* se fait en fonction de ce qui précède ou de ce qui suit.

(*a*) Devant une subordonnée relative: *c'est.*

C'est une femme qui aime être seule.
C'est un étranger dont le passé ne nous est pas connu, un Italien.
C'étaient des employés auxquels nous faisions confiance.
Ce sont des entreprises qui exigent beaucoup de doigté et de finesse.
C'est nous qui avons charge de ces orphelins.

aussi:

C'est *à* eux *que* nous pensons.

(*b*) Devant un substantif qualifié: *c'est.*

C'est une jolie brune.
C'est une tâche vraiment ingrate.
C'est une affaire de très peu d'importance.
Ce sont des tableaux de grande valeur.

(*c*) Après une question du genre: Qui est-ce? Qui est là? Quelle est cette personne? A qui faut-il que je m'adresse? Qu'est-ce que c'est (que ça)?: *C'est.*

C'est moi. C'est lui. C'est nous. Ce sont eux.
C'est un de mes professeurs.
C'est la bicyclette de Pierrot.
Qui est ce monsieur? — C'est M. Chauvin le vétérinaire du pays.

Tiens, c'est Philippe.

A qui est cette loupe? C'est celle de Jeanne.

A Jeanne; elle appartient à...

A qui est-ce? (C'est) à eux.

(*d*) *C'est* + adjectif renvoyant à l'énoncé précédent.

Il a dû se tromper dans ses calculs. — C'est possible, c'est concevable, c'est idiot.

La baleine n'est pas un poisson, c'est vrai, mais elle n'en vit pas moins dans la mer.

Aussi avec un substantif:

Ce qui importe, c'est le salut.

(*e*) Devant à + infinitif: *c'est.*

C'est à voir (peut-être; nous verrons; ça vaut la peine d'être vu).

C'est à revoir (il faudra vérifier ça).

C'est à faire (cela nous reste à faire).

(*f*) Devant adjectif + à + infinitif: *c'est.*

C'est facile à faire.

C'est difficile à traduire.

(Plus élégamment, s'il s'agit d'un texte nommé:

Ce poème? Il n'est pas facile à traduire.

Dans la langue parlée *c'est* tend à remplacer *il est:* la lessive, c'est facile à faire par ce beau temps.)

(*g*) En réponse aux questions: Quelle est sa profession? De quelle nationalité est-il? Que fait-il (en général)? on met: *il est.*

M. Bistouri? — Il est chirurgien.

Elle est allemande; lui, il est italien.

Ils sont boulangers de leur métier.

M. Benutti, il est professeur de chant.

(Mais: C'est mon professeur de chant.)

(*h*) Rappelons ici que *c'est* renvoie normalement à un contexte, *il, elle,* etc., à un substantif:

Ce garçon dont vous me parlez, il est complètement fou!

(*i*) Devant un adjectif + de + infinitif ou *que*: *il est*.

Il est vrai que mon père nous a quittés ce soir.
Il est bien possible qu'elle soit malade.
Il n'était guère possible de s'approcher d'eux.
J'ai déchiré cette lettre, c'est vrai (familier).
                                        il est vrai (littéraire).

(*j*) Distinguez entre:

C'est trop tard! Il est trop tard pour partir.
C'est trop beau! Il (ce cadeau) est trop beau pour que nous puissions l'accepter.

Vous nous invitez dans votre château! C'est trop beau pour que nous puissions accepter.

Comme — Comment — Combien

1. *Comme* habitants de ce pays, vous jouissez de certains droits.
Il travaille *comme* un nègre; il est fort comme un Turc.
Il nous traite *comme* ses amis (en amis).
Comme l'émeraude, le rubis est une pierre précieuse.
Faites (tout) *comme* lui et vous réussirez.
Riche *comme* il est, il peut se payer n'importe quoi.
Cela doit peser *quelque chose comme* douze livres. (Approximativement.)

Comme c'est gentil! *Comme* ça paraît facile!
Regardez *comme* elle est belle. (Que c'est aimable! Qu'elle est belle!)

Comme quoi il ne faut pas se fier aux apparences. (Ce qui prouve que...)

Familier:

Elle pleurait *comme* ça, pour le plaisir de pleurer. (Sans véritable motif.)
Comme ça, tu ne l'as pas rencontrée. (Ainsi.)
Le poisson de Martin, il était grand *comme* ça... (avec le geste approprié.)
Comme ci comme ça. (Ça va à peu près.)

C'est tout comme. (C'est la même chose.)
Elle est jolie *comme tout.*

2. *Comment* vous portez-vous?
J'aimerais bien savoir *comment* il va se tirer de ce mauvais pas.
Comment, tu n'as pas encore fini?
Et comment!
Les philosophes s'occupent du *comment* et du pourquoi des choses.

3. *Combien* avez-vous lu de chapitres?
Sur *combien* d'hommes pouvait-il compter?
Combien plus grande fut la sagesse de Socrate!
Combien nous regrettons maintenant ceux que nous jugions si sévèrement alors! (*Comme* serait possible.)
Le combien sommes-nous? (Quelle est la date?)

Comment est qualitatif, *combien* quantitatif.

Toujours — Encore

1. *Toujours* exprime la permanence et la répétition (la régularité):

(*a*) Il a *toujours* été fidèle à ses amis, à ses principes.

(*b*) Il prend *toujours* le train de huit heures dix.
Toujours exprime parfois la surprise, l'incrédulité ou la résignation:

(*a*) Alors, vous êtes *toujours* là? Je vous croyais parti.

(*b*) Mais oui, Philippe est *toujours* là; impossible de le faire déloger.

(*c*) Il l'aime *toujours,* malgré ses défauts.

(*d*) Nous n'avons *toujours* pas de nouvelles.

(*e*) On peut *toujours* essayer, mais c'est sans garantie!

(*f*) Cherchez *toujours* (même si vous n'avez pas beaucoup d'espoir de trouver).
Vous pouvez *toujours* aller voir (mais je ne crois pas que vous trouverez).

Locutions:

C'est toujours ça de gagné!

Toujours est-il que... (the fact remains that).

Ils sont partis *pour toujours* (pour de bon, à tout jamais).

2. *Encore* exprime, lui aussi, la permanence, ainsi que l'attente:

(*a*) Il est *encore* chez ses parents; il *ne* les a *pas encore* quittés.

(*b*) Il lui restait *encore* deux gros obstacles à surmonter.

(*c*) Il a *encore* mal partout; il *n'*est *pas encore* guéri. (Not yet.)

Encore marque également le doute et la surprise (still, yet):

(*a*) Vous l'aimez donc *encore* ?

(*b*) Et vous alors, *encore là* ? (Je ne m'attendais pas à vous voir.)

Encore correspond à *un de plus:*

(*a*) Donnez-m'en un..., et un autre..., et *encore* un autre. (And yet another.)

(*b*) Dites: abracadabrant ! Bien. *Encore une fois:* abracadabrant !

(*c*) *Encore* un film stupide ! et j'en ai déjà vu quatre.

(*d*) A la fin d'une lourde journée, un colporteur s'est *encore* présenté à ma porte: il ne manquait plus que ça ! (Last straw.)

..., un autre (*encore* un) colporteur... (Il y en a donc eu d'autres avant lui.)

On ne place pas volontiers *encore* entre l'auxiliaire et le participe passé à moins que l'on veuille exprimer l'exaspération:

Il est *encore* venu me voir ! (J'en ai assez de ses visites).

Si vous voulez montrer qu'une action se répète, employez soit *de nouveau:*

Il est de nouveau allé au cinéma;

soit le verbe avec le préfixe *re-:*[1]

Il est retourné au cinéma.

Elle vient de relire ce roman pour la troisième fois.

---

[1] Il faudrait établir la liste des verbes qui admettent l'adjonction du préfixe re-. Dans certains cas re + verbe ne s'emploie que dans la langue parlée. Aussi: Il a re re et rechanté les louanges de son héros.

Evitez *encore* en fin de phrase; au lieu de

Est-ce qu'il t'a menti encore?

mettez de préférence:

Est-ce qu'il t'a de nouveau menti?... encore menti?

Distinguez entre:

Il a repris du café (une seconde tasse).

Il a encore pris du café (première tasse après le repas).

Notez la tournure suivant:

Il a des travers, ça s'entend. *Toujours est-il que* nous admirons l'abondance de sa charité. (= Nous admirons cependant...)

Tout juste — Presque — A peine — Ne guère

Les expressions que nous avons mises en tête de cette section expriment des approximations vers (ou à partir de) certains états.

1. *Tout juste* veut dire que le but a été atteint et que les moyens suffisent à la rigueur:

Il a *tout juste* attrapé son train (qui a failli partir sans lui!).

J'ai *tout juste* assez d'argent pour t'offrir une paire de gants.

Il a *tout juste* ce qu'il faut pour vivre.

Ça ira *tout juste*. (Il n'y aura pas de marge, pas de reste.)

2. Avec *presque* l'écart est un peu plus grand, il ne manque pas grand-chose:

J'ai *presque* assez d'argent pour cette paire de gants.

Paul a presque fini ses devoirs. Il *n'a presque plus* rien à faire pour les terminer.

Il est *presque* fou, mais pas tout à fait.

Au lieu de dire «à peine visible» (voir plus bas) on mettra de préférence *presque + adjectif négatif:*

Presque invisible; *presque* introuvable; un son *presque* inaudible; une règle *presque* inapplicable.

Cette petite règle pratique s'applique avant tout aux adjectifs en -*ible* et -*able*.

3. *A peine*

(*a*) Locution adverbiale:

> Mme D. avait *à peine* trente ans; son mari était *à peine âgé* de quarante ans.
> Mon gâteau de fête est à *peine entamé*.
> Ce poulet est *à peine cuit*, il est presque immangeable.
> Est-ce loin d'ici? Cinq minutes, *à peine*.
> Il sait *à peine écrire*; ses lettres sont *à peine formées*.
> *C'est à peine si* j'ai entendu parler de lui.
> *C'était à peine si* elle lui disait bonjour. (*C'était tout juste si* elle lui disait bonjour.)

(*b*) Conjonction:

> *A peine* eut-il mis les pieds dehors qu'il se mit à pleuvoir.
> *A peine* la cloche eut-elle sonné que les ouvriers quittèrent l'atelier.

Formule: *A peine + passé antérieur* (avec *inversion*) + *que*.

Forme plus courte:

A peine dehors, il se mit à courir.
A peine arrivé chez lui (*qu'*) il s'affala dans un fauteuil.

4. *Ne guère* sert à modifier les adjectifs et les verbes et correspond à «presque pas, pas vraiment, très peu, pas beaucoup»:

Cela n'est *guère* aimable!
Sa situation n'est *guère* enviable.
Aimes-tu ce genre de musique? *Guère*.
Est-ce que ça va durer longtemps? *Guère plus* de dix minutes.
Je *ne* lui en veux *guère*.
Il *n'*a *guère plus de* quarante ans. (*Guère moins.*)
Patience, ton père *ne* tardera *guère*.
Il *n'*avait *guère* le temps de s'occuper de sa famille.
C'est à peine si elle a de quoi nourrir ses enfants: elle *n'*a donc

guère les moyens de leur payer des vacances, si bon marché soient-elles.

Une machine mal lunée :

Elle ne marche pas — elle ne marche guère — elle marche à peine — elle marche presque — elle marche tout juste — elle marche — elle s'arrête — elle ne marche plus du tout !

Remarque :

Dans la langue parlée, le Français se sert parfois de *à peine* au lieu de *presque* ou de *ne guère*. *Ne guère* a quelque chose de plus littéraire.

Approximations

1. Vers midi, vers (les) onze heures, autour de trois heures, à minuit environ, dans les environs de minuit ; une bonne heure, une petite heure.

2. Voir *A peu près*, etc., *supra*.

3. Voir la notion de proximité, p. 6.

4. Cette semaine, nous avons fait près de 2 000 km en voiture, et au bas mot (au minimum) 2 400 la semaine passée. Nous ne sommes pas loin d'avoir battu notre propre record.

5. Il approche de la soixantaine ; il a cinquante ans bien sonnés ; cinquante ans et quelques ; il a autour des quarante ans.

6. Une demi-douzaine, une dizaine, une douzaine, une quinzaine, une vingtaine...une centaine ; quelques milliers de francs. Mille kilogrammes ou peu s'en faut (ou presque) ; dix livres tout au plus, plutôt moins.

7. Il a failli se faire écraser ; il a bien manqué se faire écraser, il s'en est fallu de peu. Un pas de plus et il se faisait écraser. Il était à deux doigts de la mort. Il l'a donc échappé belle.

8. Elle était tant soit peu irritée (un peu, mais pas trop). Son humeur frisait l'irritation. Son ton frise l'impertinence.

9. Il se sent vaguement malade. Il ne va ni bien ni mal, il n'est pas dans son assiette. Ça va tant bien que mal.

10. Ce pâté n'est ni chair ni poisson.

11. Une certaine imprécision marque tout ce qu'il avance dans son livre. Il ne va jamais jusqu'au bout de son raisonnement.
Il touche à tout, mais n'entreprend rien sérieusement (de sérieux). Un amateur, c'est tout.
Elle touchait à son «Pernod» du bout des lèvres.

12. L'un somnole, dort d'un oeil et rêvasse; l'autre dort à poings fermés et fait de beaux rêves.

13. Au lieu de tailler les buissons, il *coupaillait* par ci par là.[1]

14. Au lieu d'aller droit au but, certaines gens avancent à tâtons, rendus plus hésitants encore par leur manque d'initiative. Ils font pourtant de leur mieux.

15. Sans être une véritable imitation, ce portrait ressemble à un Modigliani; les traits sont allongés, mais les lignes ne sont pas franches. Tout le visage a quelque chose de pâle, de flou, d'estompé, de mal défini. En un mot c'est une «croûte» (un mauvais tableau).

16. Couleurs qui ne sont pas franches: bleuâtre, rougeâtre, verdâtre, noirâtre, brunâtre, grisâtre, jaunâtre; violacé; blafard (d'une pâleur cadavérique); un enfant pâlot.

17. Cet élève lit mal, il ânonne, il bredouille.
Celui-ci articule mal ses mots, il bégaie, il balbutie.
M. X. parle assez mal l'italien, il le baragouine; c'est tout juste si on le comprend.

18. Une petite bague comme ça, ça va chercher dans les 400 frs.

19. Les approximations, les *à-peu-près*, des esthètes ne suffisent pas aux hommes de science.[2]

20. L'Anglais atténue très fréquemment ses affirmations par des expressions telles que *I think*, *I mean*, etc.; en revanche, le Français ne se sert des équivalents *je pense*, *je crois*, *je veux dire*, *il me semble*, etc. que pour marquer l'aspect subjectif ou dubitatif de ses assertions. L'Anglais suggère, le Français affirme.

---

[1] Et autres diminutifs: siffloter, chantonner, toussoter, grappiller, etc.

[2] ... «ces lacunes seraient inadmissibles en zoologie, ... nous les excusons en littérature, domaine de la confusion, de l'hésitation et de l'à-peu-près.» (A. Gide.)

6

Dont

De + unde = d'où; sert de pronom relatif exprimant la possession; whose, of whom, of which, l'équivalent de *de qui, duquel, de laquelle, desquels, desquelles.*

1. Les auteurs grecs *dont* nous citons les oeuvres, nous ne les fréquentons plus assez.

2. Ce vieillard, dont la barbe était toute blanche, nous en imposait. (Impressed us.)

Remarquez que *dont* rend l'adjectif possessif superflu dans la relative.[1]

3. Pensez à tous les maux *dont* souffrent les humains!

4. Jacques, *dont* le père est médecin et la mère institutrice, ne voit guère ses parents.

5. La façon / la manière *dont* elle se comporte est abominable.

6. Cette armoire est du bois *dont* on fait les bons meubles. (= avec lequel, duquel on fait.)

En général le moyen et l'instrument s'expriment ainsi :

Les fils *par lesquels* la toile est retenue sont fort minces.
Les ciseaux *avec lesquels* il découpe des images devraient être aiguisés.

7. L'insolation, c'est *ce dont* il faut se méfier. Ne faites *rien dont* nous ririons plus tard. *Voila ce dont* je m'étonne (= de quoi).

8. Une civilisation *dont* il ne reste plus rien.
Ces pauvres gens *dont* la plupart ont péri.
Père de huit enfants, dont trois filles, il n' a pas la vie aisée.
Des livres rares *dont* un seul nous reste (dont il ne nous reste qu'un).

9. Cette lettre *dont* nous savons que vous êtes l'auteur...
Ces groupements *dont* nous ignorons si vous (en) êtes l'organisateur...

[1] C'est mon ami *dont* je vous ai dit qu'il avait perdu sa place. (*Sa place* n'est pas dans la relative!)

(*Dont*=au sujet de laquelle / desquels. Fréquent avec: *supposer, imaginer, ne pas douter*, etc.)

10. Le verbe de la subordonnée n'est pas accompagné d'un pronom personnel relatif au sujet de la principale:

> Voici les candidats *dont* les succès leur ont valu de grandes louanges → Voici les candidats à qui leurs succès ont valu de grandes louanges.

> Des élèves *dont* les parents les accompagnent → Des élèves que leurs parents accompagnent.

11. La famille *dont* je sors / *dont* il descend était déjà bien connue au 17e siècle. (Extraction, naissance.)

> La maison d'où (de laquelle) il sortait justement donnait directement sur la rue.

12. M. X. *dont* je connais la famille, les habitudes et les excellents ouvrages...

> Il accusa de cruauté cet homme *dont* il avait vu la femme fuir le logis.

> Il réprimanda la femme *dont* le mari avait toujours payé les dettes.

> Les prisonniers *dont* la camaraderie semblait l'unique consolation...

13. La construction suivante n'est pas admissible:

> Les personnes *dont* je m'intéresse au sort.

Il faut dire:

> Les personnes au sort de qui je m'intéresse.
> L'homme de la confiance de qui j'ai abusé.
> Mon chef, aux ordres de qui j'ai désobéi.
> Sa femme, de la fortune de qui il dépend.

Règle:

Dont ne peut dépendre du complément prépositionnel d'un verbe transitif indirect si le sujet de la relative n'a aucun rapport avec le premier terme. (Ex. 13: les personnes — je.)

14. Dans les phrases suivantes *dont* est possible (en dépit des puristes). Les verbes sont intransitifs et suivis de compléments adverbiaux qui, grammaticalement, n'ont qu'une faible attache avec le verbe. (Dans la phrase 13 *s'intéresser à* forme une unité grammaticale indissoluble.)

Marie, *dont* les longs cheveux flottent sur les épaules...
Le juge, *dont* la robe d'hermine tombait jusqu'au sol...
La jeune fille *dont* l'arrogance se lisait dans les yeux...
L'avion *dont* les trainées de vapeur semblaient sortir des moteurs...
Elle, si innocente, *dont* nous surprenons jusqu'aux pensées (= les pensées mêmes). (Hanse.)
Des difficultés *dont* on ne viendra jamais au bout. (Hanse.)

Dans certains cas presque indéfinissables *dont* sonne mal:

L'homme *dont* j'ai marché sur les pieds →
L'homme sur les pieds de qui j'ai marché →
L'homme à qui j'ai marché sur les pieds.

Règle pratique:

Si *dont* vous semble douteux (ambiguïté, etc.), mettez *de qui, duquel, de laquelle, desquel(le)s.*

S'agir de

Il s'agit de est un verbe impersonnel (n'écrivons donc jamais: Ce livre s'agit de Napoleon!). Il se présente habituellement au présent, à l'imparfait, et au conditionnel; le futur se trouve parfois, les autres temps sont beaucoup plus rares. *Il s'agit de* se rapporte au sujet principal de la discussion dans une situation précise, ou alors au fait que le temps des hésitations est passé.

1. *Il s'agit de lui:* c'est de lui que nous parlons, il est question de lui, la discussion tourne, porte, roule sur lui.

   Il ne s'agit pas d'elle: nous ne discutons pas son cas; elle n'a rien à voir là dedans.

2. *De quoi s'agit-il* dans ce roman? De quoi nous parle-t-il? Quel est son véritable sujet? De quoi traite-t-il?

   De quoi s'agit-il? A quel sujet voulez-vous me voir? De quoi est-il question? Que me voulez-vous?

3. *Il s'agit de finir* ce travail rapidement. Ce travail est urgent. Il est important que...

   Il ne s'agit pas de lambiner (sinon nous n'arriverons jamais au but). Dépêchez-vous! Ce n'est pas le moment de... Nous ne pouvons pas nous permettre de... Gardez-vous bien de... (Mise en garde.)

4. *Il s'agit bien de* ce livre. Oui, c'est à ce livre que je pensais.

   Il s'agit bien de ça! Ce n'est pas du tout ça. Ce n'est pas de ça qu'il est question. Ce n'est pas là la question. Vous vous moquez de moi!

5. En l'occurrence, *il s'agirait* plutôt d'une menace que d'une promesse. Dans ce cas (particulier), il y aurait plutôt...

   Selon toi, *il s'agirait donc de* reprendre par le début. Il serait prudent, désirable; nous ferions bien; notre tâche consisterait donc à recommencer.

6. *Il ne s'agissait plus de* s'amuser. Nous avions des choses plus importantes à faire. Finis les amusements, les divertissements et les jeux.

7. *Il s'agirait de mille francs* tout au plus / au bas mot. Cela vous coûterait au maximum / au minimum mille francs. Les frais s'élèveraient à...

8. A côté de «c'est une question de vie ou de mort», on trouve aussi: *Il s'agit*, pour la France, *de* la vie et de la mort.

Autres verbes exprimant un rapport

1. Cela me *regarde* de près. C'est mon affaire. Ça ne te *regarde* pas, petite curieuse. De quoi te mêles-tu ?

2. Cela me *concerne*, je vais donc m'en occuper.

N.B. L'anglais *concerned* se traduit par:
soucieux, inquiet, intéressé (pl. the parties concerned).
Concerning: concernant, relatif à, traitant de, etc.

En ce qui me concerne, je préfère n'y pas mettre les pieds. Quant à moi, pour ma part.

3. *Il est question de* lui pour le nouveau poste à pourvoir. (Il est possible qu'on le propose.)

Il n'est pas question de lui avancer de l'argent. Il est hors de question, exclu...
Mais:
Il ne s'agit pas de lui prêter de l'argent. (Cela n'entre pas dans nos plans / Surtout ne lui en donnez pas!)

4. *Il y va de* mon honneur. Il s'agit de mon honneur (qui est peut-être en danger).

5. Vos observations sont *sans rapport avec* le sujet de notre discussion. Elles *n'ont rien à voir à la question*, avec le sujet.

«Involve»

Le verbe anglais *to involve* est un «verbe à tout faire». Voici quelques équivalents français:

1. A la base nous avons l'idée de replier, entortiller, enrouler, envelopper.

2. Tremper dans un complot; être impliqué dans une affaire louche (shady); entraîner quelqu'un dans la faillite; toucher, concerner les intérêts de quelqu'un, comporter des dangers; nécessiter des frais; s'immiscer dans une affaire (s'y mêler mal à propos); le véhicule en cause.

    (Compléter cette liste peu à peu et trouver des synonymes anglais pour *involve!*)

3. On parle d'un style compliqué, embrouillé, touffu, alambiqué, filandreux, entortillé.

4. Sortant du bistro le buveur s'empêtra dans un bout de corde qui traînait là. Il engagea un passant dans une querelle, puis il essaya de nous y mêler également. Il s'embrouillait dans son discours.

    Plus tard il causa un accident et eut maille à partir avec un agent. Cela lui attira de grandes difficultés. Pour se tirer de ce mauvais pas, il n'aurait pas hésité à entraîner son meilleur ami dans sa ruine. Et si son ami avait été compromis dans l'affaire, la honte de l'ivrogne aurait rejailli sur lui. Mais de peur de se créer des ennuis, de s'endetter peut-être, tout au moins de se compromettre, d'engager son honneur, l'ami refusa de se laisser inculper et prouva qu'il n'avait pas été sur les lieux.

Apprendre

Apprendre :

1. Paul *apprend* très facilement, parce qu'il a une excellente mémoire. Il *apprend le latin* et l'italien sans jamais s'embrouiller. Il a du reste *appris à lire* à l'âge de quatre ans.
Henri vient de nous apprendre que ses parents ont brusquement quitté leur hôtel.

2. Mme Richard *apprend aux enfants à nager.* Elle *leur apprend* d'abord *qu'*il ne faut pas avoir peur de l'eau, puis elle *leur apprend,* sur terre ferme, tous *les mouvements* qu'ils feront dans l'eau.

3. Pierre n'est plus *apprenti,* car il vient de terminer son *apprentissage* de mécanicien. Connaissez-vous l'histoire de l'*apprenti sorcier* ?

Enseigner :

1. Dans son temps, M. Ledoux a *enseigné* au collège de Mâcon. Il y *enseignait le grec aux élèves* de rhétorique.

2. Les philosophes *enseignaient à* leurs disciples *que* la terre était plate. (Ils soutenaient, affirmaient devant leurs disciples que...)

3. Le «Normalien» se prépare à *l'enseignement* secondaire; quand on l'aura nommé, il *fera de l'enseignement,* il fera partie du *corps enseignant.*
Instituteur (-trice) / maître(sse) d'école / professeur.

Instruire :

1. *Instruire* la jeunesse, c'est former son esprit et lui donner des connaissances.
Sans *instruction* l'esprit reste inculte.
(Se rapproche de l'anglais *education.*)

2. Le sergent Fournier *instruisait les recrues dans* le maniement des armes.

3. Je vous prierai de m'*instruire de ce qui* se passe ici en mon absence.
(de me mettre / tenir au courant.)

4. Tu ferais bien de suivre les *instructions* de ton patron!

5. *Instruire une affaire*, une cause: c'est la tâche du *juge d'instruction* qui met cette affaire en état d'être jugée. (Examining magistrate.)

Eduquer, inculquer:

1. Il n'est jamais facile de bien *éduquer ses enfants*. (Bring up rather than teach.) *L'éducation* exige le bon exemple de la part des adultes.

2. Une personne bien *éduquée* n'est pas nécessairement instruite ou cultivée, lettrée, savante ou érudite, ses connaissances ne sont pas toujours étendues.

3. Le rôle de l'*éducateur* est d'*inculquer des principes aux jeunes gens* dont il a la charge.

Elever:

1. Même s'ils ne leur enseignent rien, s'ils ne les éduquent pas, s'ils ne les instruisent en rien, les parents *élèvent leurs enfants*. Les meilleurs les *élèvent* pour en faire des hommes conscients de leurs responsabilités.

2. On *élève* aussi des lapins et autres animaux. (Raise, rear.)

3. Une personne peut être *bien élevée* ou *mal élevée*, polie ou impolie.

Dresser:

1. *Dresser les enfants* veut dire s'occuper activement de leur éducation, les élever sévèrement, exiger d'eux beaucoup d'obéissance, etc.

2. Le substantif *dressage* s'applique avant tout aux chevaux et aux animaux de cirque.

3. Très brutal, il les *dressait* à coups de fouet.

Former:

1. La *formation* se fait en vue de l'exercice d'un métier, d'un emploi, d'une fonction.

2. La patronne de cet établissement *forme* elle-même *ses vendeuses.* (Trains.) Elle ne veut que du personnel *stylé.*

3. Les écoles des arts et métiers donnent une *formation* profession-nelle.

Initier:

1. Flaubert *initia Maupassant aux* secrets de son art.

2. Je suis *un initié*, c'est-à-dire que j'ai subi l'épreuve d'*initiation* de cette secte (religion, organisation secrète, etc.).

Préparer:

1. Il faut *préparer les jeunes à* la vie, *à* gagner leur vie, et les en-courager à vivre honnêtement.

2. Le répétiteur de Jean l'aide à *se préparer à* l'examen d'entrée en sixième. (11+)
Il le *prépare* à ses examens.
Jean *prépare* très activement *ses examens.*

3. Trouvez la différence entre *la préparation* et *les préparatifs.*

Montrer, démontrer:

1. On nous a *montré* le fonctionnement de cette machine.

2. La bonne grand-mère *montre* ses lettres à sa petite fille. (Emploi vieilli; elle lui apprend à lire.)

3. On fait une *démonstration* au tableau noir; on *démontre* un théorème (en géometrie).

Informer, aviser, avertir, prévenir:

1. Il a déjà *informé son père de* sa décision de trouver un emploi plus lucratif.

2. Il m'a donné des *informations* utiles sur les moeurs du pays que je compte visiter en avril.

3. Le maire de la commune *avisa* la population que dorénavant les

poubelles seraient ramassées deux fois par semaine. (Style administratif.)

4. Je vous prierai de m'avertir de votre arrivée à Genève (= de me prévenir de ...; de m'annoncer votre arrivée).

5. Un homme averti en vaut deux (sur ces gardes). (Proverbe.)

6. Malgré les avertissements de son père, il continue ses imprudences (= conseils, mise en garde).

Renseigner:

1. Adressez-vous à cette agence, on vous *renseignera sur* les possibilités de travail.

2. Je leur ai demandé des *renseignements* précis et ils me les ont donnés sans délai.

Professer:

1. En général on ne *professe* que sa foi... ou des âneries.

2. M. X. *professe* au lycée Sainte-Barbe. (Peu fréquent.)

Un équivalent du passif

Les grammaires nous enseignent qu'une tournure passive anglaise peut se rendre en français de trois manières différentes:

This poem will always be read with pleasure.

1. Ce poème sera toujours lu avec plaisir.[1]

2. On lira toujours ce poème avec plaisir.

3. Ce poème *se lira* toujours avec plaisir.

Se lira est un verbe pronominal (il n'est pas à proprement parler «réfléchi», car le poème ne se lit pas lui-même, il ne fait rien par ou pour lui-même; *se lira* implique un sujet réel qui fait la lecture). Nous remarquons qu'il n'y a pas de différence fondamentale entre (1), (2) et (3), ce qui n'est pas toujours le cas:

1. Cela n'est pas dit. (That's not necessarily so.)

2. On ne dit pas ça. (That isn't said.)

3. Cela ne se dit pas. (Nobody says that; it can't be said.)

Ici il n'y a pas identité entre (1) et le group (2)–(3).

1. Le champagne *se boit* très frais.

2. L'épée *se portait* toujours à gauche.

3. Autrefois beaucoup de livres français *s'imprimaient* en Hollande.

Cette construction pronominale indique souvent la façon ordinaire (habituelle) dont les choses se passent ou se passaient.[2] Elle indique un certain degré de généralisation.

Comme le passif, cette forme n'est possible qu'à partir d'un verbe transitif (verbe + complément direct): ainsi nous n'avons pas de passif à partir de *se souvenir* (on se souvient de lui, mais jamais «il est souvenu»!) Mais à partir de *laver* nous avons: *ce linge a été lavé*, et: *Le linge se lave avec de l'eau et du savon.*

On se sert de la farine pour faire le pain.
La farine sert à faire le pain.

[1] Cf. Legrand, *Stylistique française*, pp. 59–60.
[2] Cf. Vinay et Darbelnet, *Stylistique comparée du français et de l'anglais*, pp. 134–6.

(Mais pas: La farine se sert pour faire du pain! Dites: La farine sert à faire le pain.)

Plusieurs des exemples précédents nous amènent à une constatation: le verbe pronominal-passif est fréquemment suivi d'un adverbe ou d'une locution adverbiale (de manière, etc.):

Ce remède *s'injecte* au moyen d'une petite seringue.
Ce poème latin ne *se traduit* pas facilement.
A cette époque, un passeport *s'obtenait* sans difficulté.
Ce composé chimique *s'analyse* de la manière suivante: ...
Cette règle *s'apprend* en quelques minutes.
Une bonne salade *s'apprête* de la manière suivante: ...
«Ce qui *se conçoit* bien *s'énonce* clairement.» (Boileau.)
Ici rien ne *s'achète* sans argent comptant.
Cela ne saurait *se faire* à la légère.
Ce travail devrait *se faire* en vitesse. (*Devoir* est normalement suivi de l'infinitif passif, être + p.p.)

On ne distingue pas facilement entre l'aspect littéraire (écrit) et l'aspect familier (parlé) de cette construction:

Ecrit et parlé:

Nous parlons d'un devoir sacré qui ne *se néglige* pas impunément.
Les affaires du coeur ne *se confient* pas à n'importe qui.
Votre point de vue *se défend* très bien.
Les morts *se comptaient* par milliers sur le champ de bataille.
Son intervention *se justifie* tout-à-fait.

Parlé:

Un bouton arraché! Mais *ça se recoud.*
Une roue cassée? *Ça se répare.*
Ce genre d'injure, *ça ne s'oublie* pas!
Oh, vous savez, ces choses, *ça se sait!*
Mille balles! voilà ce qui *s'appelle* jouer. (1 000 frs., that's what I call playing.)

Note: Il y a des cas limite où la forme réfléchie se distingue mal de la forme pronominale passive:

1. M. Lemaître se trouvait sur la terrasse d'un café.

2. Certains mots techniques ne *se trouvent* pas dans le *Petit Larousse.*

Le Participe passé

Les règles de l'accord du participe passé sont compliquées et sujettes à de nombreuses exceptions. Mais comme les Français en général et certains écrivains en particulier tendent de plus en plus à diminuer le nombre de ces accords, nous nous bornerons ici à donner les règles, d'application encore fréquente, du participe variable. (Dans les cas que nous ne citons pas, on se tiendra à l'invariabilité.)

1. P.p. sans auxiliaire, traité comme un adjectif:

Une leçon bien *sue* en vaut deux mal *apprises*.
Une symphonie bien *exécutée*.
Frappées par ces nouvelles, elles ne surent que dire.

2. P.p. employés avec être et quelques verbes équivalents:

Les oiseaux sont *revenus*.
Elles paraissent (semblent) *choquées*.
Elles demeurèrent *interdites* (nonplussed).
Ces sorties leur sont *restées interdites* (forbidden).

3. P.p. précédé d'un complément direct:

Les belles lettres *que* j'ai *écrites*.
Quelles fleurs as-tu *cueillies*?
Ils nous ont instruits.

Mais:

Elle nous a *pardonné*. (Nous= compl. indirect.)
Des billets de banque, personne ne nous *en* a *donné*. (L'accord ne se fait pas avec *en* complément direct.)

4. P.p. variable quand le verbe, normalement intransitif, est employé transitivement:

Les belles années que nous avons *vécues* ensemble.
Les parents que nous avons *pleurés*.
Les atroces journées que nous avons *passées* dans la jungle.
Les pauvres que nous avons *assistés*.
Les tristes plaisirs que j'ai *fuis* (évités).
Ils nous ont *servis* en serviteurs fidèles.
Les soins que cette affaire m'a *coûtés*!

Tous les paquets qu'il a *pesés* aujourd'hui.

N'oubliez pas les récompenses que ce labeur vous a values (pro-curées, méritées, rapportées).[1]

5. Il y a accord quand le pronom réfléchi (réciproque ou non) est complément direct, ou «neutre» (non-analysable):

La chatte s'est *lavée* longuement.

Ils se sont *vus* au même instant.

Maman s'est *souvenue* de cet événement. (Que dire de la fonction du *se*!)

La glace à la vanille *qu'*elle s'est *offerte*!

Mais:

Elle s'est *lavé* la queue. (A elle.)

Ils se sont *dit* des paroles amères. (L'un à l'autre.)

6. Le participe passé avec un infinitif:

Les enfants que j'ai *vus* courir. (J'ai vu les enfants courir / courant / en train de c.)

Elle s'est *laissée* aller.

Mais:

Les poèmes que j'ai *entendu* réciter. (Par quelqu'un d'autre.)

Elle s'est *laissé* persuader. (Quelqu'un d'autre persuade.)

Fait faire aussi est invariable.

Ta soeur s'est *chargée* d'écrire cette lettre. (Il y a un lien étroit entre *se* et *chargée*.)

Mais:

La lettre que vous m'avez *ordonné* de rédiger. (Ici le lien étroit est entre *ordonné* et *rédiger:* donc pas d'accord!)

Dans ces cas épineux, c'est la logique du texte qui dicte l'ortho-graphe. L'étudiant fera bien de ne pas trop se pencher sur ces subtilités.

---

[1] (*a*) Les millions que ce pont a *coûté*... (compl. de prix).

   (*b*) Les dix minutes que nous avons *couru*... (compl. de temps).

   (*c*) Les dix ans que nous avons *passé*... (compl. de temps).

   (*d*) Les 5 kgs de trop que ces bagages ont pesé... (compl. de poids).

   (*e*) Les £500 que ce voyage m'a *coûté*... (compl. de prix).

   Règle: pas de compléments directs, donc p.p. invariable.

Le Participe présent

Le participe présent en *-ant* est une forme verbale invariable. Il peut être suivi d'un complément et il admet la négation.

1. *Prenant* son fils par la main, elle sortit de la pièce.

2. *Ne voulant* pas sortir ce soir-là, elle téléphona à sa soeur.

3. Maurice, *se croyant* invincible, se jeta sur son adversaire.

4. Triste, maussade, *refusant* tout secours, il s'enferma dans sa solitude jusqu'au soir.

5. Un jour *chassant* l'autre, la vie ne leur apportait que peu de consolation.

6. Ma mère *s'étant retirée*, nous avons encore causé un moment.

7. Je n'ai plus entendu que les plumes *courant* sur le papier.

8. Nous récompensons les enfants *obéissant* à leurs parents.

Fonctions:

1. Elle prit... et sortit (deux événements presque simultanés).
2. Comme elle ne voulait pas... (cause).
3. ... parce qu'il se croyait... (cause).
4. Emploi assez fréquent du participe présent dans une liste.
5. Construction absolue (pas de lien grammatical entre les membres de la phrase).
6. Comme (5). Remarquez le temps grammatical!
7. En général le participe présent s'accorde avec le sujet de la phrase. Toutefois, après les verbes de perception, il suit souvent un complément direct.
8. On dira plus volontiers: les enfants qui obéissent.

Note: Les écrivains français ne s'en tiennent pas toujours aux règles pratiques que nous énonçons ici. Ils font de fines distinctions entre le participe présent et l'adjectif verbal (voir plus loin): Les cordages flottant(s) vers (sur) la côte, marquant l'activité ou l'état! (Humbert, *Cours d'Orthographe.*)

Le Gérondif

On appelle *gérondif* le participe présent précédé de *en*.

Dans les expressions suivantes, on le trouve souvent au début de la phrase:

> *En entrant* dans la pièce; *en rentrant* chez lui; *en montant / descendant* l'escalier; *en quittant* la maison; *en partant* pour Londres; *en revenant* de vacances; *en attendant* son retour, ... etc.

Il exprime la manière et le moyen:

> Il parle *en cherchant* ses mots.
> Elle le rassure *en lui disant* que tout est prêt.
> Il marche *en boitant.*
> C'est *en écrivant* beaucoup qu'on devient écrivain.
> *Rien qu'en* le *regardant* travailler, vous apprendrez bien des choses. (Merely by.)

Il exprime la simultanéité et il fait souvent image:

> Elle le regardait *en souriant.*
> Les mouches se noyaient *en bourdonnant.*
> Il marchait *en sifflant.* (Mais: Il *allait sifflant* par les bois et les champs.)

Il n'est pas nécessaire de répéter la préposition *en*:

> Il s'approcha de moi *en sautant* et (en) *gesticulant.*

(Le premier *en* pourrait du reste être remplacé par une virgule.)

Evitez les gérondifs négatifs, ainsi que le gérondif de *pouvoir, vouloir, croire, penser*:

> *Ne voulant pas* sortir ce soir, elle a téléphoné à sa soeur.

Gare aux ambiguités!

> *Je* le surpris *en regardant* par la fenêtre. (C'est moi qui regarde.)
> Je *le* surpris *regardant* par la fenêtre. (C'est lui qui regarde.)
> Je le vis *venir en gesticulant.* (C'est lui qui gesticule.)

Le gérondif peut être renforcé par *tout*; il marque alors la simultanéité et l'opposition ou la concession:

7

Tout en tricotant des bas, elle lisait des romans.
Tout en louant votre conduite, je ne puis que blâmer votre indolence.
Il jouait *tout en pensant* à autre chose.

L'Adjectif verbal

L'adjectif verbal en -*ant(e)* est variable. Il ne peut pas être suivi d'un complément, mais on peut le modifier au moyen d'un adverbe:

Des remarques *amusantes*; la situation devient *alarmante*. Je n'ai jamais vu de scène *plus désolante*. Ses yeux *très brillants* restaient fixés sur la fenêtre. Un travail fatigant (cf. la page suivante).

Le participe présent des verbes intransitifs et réfléchis ne s'emploie normalement pas comme adjectif verbal:

Le passé qui s'efface (the fading past; on ne peut pas dire: Nous regrettons ce passé s'effaçant!)

Servons-nous cependant des expressions figées suivantes:

Le soleil levant / couchant; l'eau courante / dormante; une soirée dansante, un film parlant, une école payante; une âme repentante; (l'homme, selon Pascal, est) un roseau pensant; poste restante, séance tenante; une rue passante, un chemin glissant; la pluie battante, battant neuf (neuve); une personne méfiante, bien (mal) portante; une couleur voyante, une chaise roulante.

(Remarquez le caractère passif de plusieurs de ces adjectifs verbaux.)

Les distinctions orthographiques entre certains participes présents et adjectifs verbaux:

I	II	III	IV
Adhérer à	-ant	-ent★	-ence, -ésion
Affluer	-ant	-ent★	-ence
Coïncider	-ant	-ent	-ence
Communiquer	-ant	-cant	-cation, -qué
Confluer	-ant	-ent★	-ence
Convaincre	-quant	-cant	-viction
Converger	-geant	-gent	-ence
Différer	-ant	-ent	-ence, -end
Divaguer	-guant	-gant	-gation

I	II	III	IV
Diverger	-geant	-gent	-ence
Emerger	-geant	-gent	-ence
Equivaloir	-ant	-ent★	-ence
Exceller	-ant	-ent	-ence
Expédier	-ant	-ent★	-dition
Extravaguer	-guant	-gant	-gance
Fatiguer	-guant	-gant	fatigue
Influer	-ant	-ent	-ence
Intriguer	-guant	-gant★	intrigue
Négliger	-geant	-gent	-ence
Précéder	-ant	-ent★	
Provoquer	-quant	-cant	-cation
Révérer	-ant	-end★	-ence
Suffoquer	-quant	-cant	-cation
Vaquer	-quant	-cant	vacance(s)
Violer	-ant	-ent	-ence
Excéder	-ant	excédent, excès	
Fabriquer	-ant	fabricant	
Présider	-ant	président	
Résider	-ant	résident	

I = Infinitifs.
II = Participes présents.
III = Adjectifs verbaux (★indique que le mot est aussi employé substantivement).
IV = Substantifs abstraits (-ence) et plus concrets (-ion, -gué).

Note: Etymologiquement, certains mots de la colonne III sont de purs adjectifs, mais en pratique il n'est pas nécessaire de les distinguer des adjectifs verbaux.

L'Infinitif

1. L'infinitif employé substantivement est toujours masculin:

Le rire, le devoir, le savoir, le souvenir; faire quelque chose *au juger; le faire-part, le manger et le boire.*

2. Infinitif sujet:

Pleurer n'est pas toujours un signe de faiblesse.
Il n'est pas honteux *de pleurer.*

3. L'infinitif indiquant la manière, le degré, la destination, l'habitude, l'aptitude et l'obligation:

Cette robe te va *à ravir.*
Les enfants couraient *à perdre haleine.*
Cette fillette est mignonne *à croquer.*
Une aiguille *à tricoter.*
Etre prêt *à partir.*
Cette eau est mauvaise *à boire.*
Nous sommes disposés *à le faire.*
C'est utile *à savoir.*
Il n'y a plus qu'une chose *à faire.*
Une maison *à vendre.*
Il n'est pas homme *à lâcher prise.*

Mais:

De quel art parlez-vous? — De l'art d'écrire.

4. N'oublions jamais qu'une préposition est suivie de l'infinitif, et non du participe présent.

Il a subi son opération sans gémir. (Without moaning!)

Apprenons aussi que *A l'en croire, à le voir,* etc. remplace parfois le conditionnel: Si on le croit, si (quand) on le voit.

5. L'infinitif sans préposition:

(*a*) Il *croyait* nous être utile.
(*b*) Il *pensait | comptait | espérait | désirait | voulait | entendait bien | souhaitait* repartir le lendemain.
(*c*) Nous *préférons | aimons mieux* ne rien leur devoir.

(*d*) Le roi n'a pas *osé* abdiquer avant la majorité de son fils, le dauphin.

(*e*) Le marquis ne *daigna* pas répondre à ceux qui étaient *venus* l'insulter.

(*f*) Il *se figure* / *s'imagine* / *affirme* / *prétend* être arrivé bon premier.

Devoir: Composez (dans des situations comme celle-ci on peut aussi mettre l'infinitif: *composer*) des phrases avec les verbes suivants:

Entendre, écouter, voir, sentir; envoyer, laisser, faire; devoir, savoir, pouvoir, falloir, sembler; se rappeler; détester; il vaut mieux (autant), il fait bon.

Comment peut-on éliminer l'ambiguïté de la phrase: Il lui a fait préparer un bon souper?

6. Composer des phrases qui illustrent l'emploi des verbes suivants, qui sont tous construits avec la préposition *à*:

Exemple: Malgré les serpents, ils *se sont risqués à* pénétrer dans la jungle.

Aider, apprendre, autoriser, chercher, condamner, convier, décider qqn à (mais: je décide de), *déterminer, dresser, encourager, engager, exciter, exhorter, habituer, inviter, obliger* (mais: je suis obligé de), *provoquer.*

Aspirer, consentir, consister, demander (mais: demander à quelqu'un de faire quelque chose), *hésiter, parvenir, avoir de la peine, penser et songer* (dans le sens d'avoir vaguement l'intention), *prendre plaisir, réchigner, en être réduit, répugner, réussir, tarder, passer son temps, tendre, viser.*

S'abaisser, s'accorder, s'amuser, s'appliquer, s'apprêter, s'attacher, s'attendre, se borner, se complaire, se décider, se déterminer, se disposer, s'égosiller, s'employer, s'engager, s'essayer, s'évertuer, se fatiguer, s'habituer, se hasarder, se mettre, s'obstiner, s'offrir, se plaire, se préparer, se refuser, se remettre, se résigner, se résoudre, se risquer.

[Plus rares et moins importants:

Exposer; balancer, concourir, exceller, persévérer, persister, travailler; s'acharner, s'assujettir, s'entendre, s'étudier, s'exposer, se prendre (= se mettre).]

Nous ne croyons pas nécessaire de donner ici la longue liste des verbes suivis de *de + infinitif*: si l'accord ne se fait ni avec à + infinitif, ni avec l'infinitif sans préposition, l'on mettra *de + infinitif*.

Nous ne nous arrêtons pas non plus aux cas assez simples de l'accord avec *afin de* et *pour + infinitif*.

Le Passé simple

Nous n'entreprendrons pas ici l'étude des temps en français. Les grammaires énumérées dans notre bibliographie suffisent amplement à la tâche. L'expérience nous pousse cependant à nous arrêter un instant au *passé simple* (*historique*), et citer deux exemples de l'emploi du *conditionnel*.

Le *passé simple* est le temps grammatical du récit historique: il implique une certaine distance entre le narrateur et son récit. Il s'emploie plus volontiers dans la langue écrite que dans la langue parlée, qui, elle, préfère le passé composé.

Le passé simple narre des événements, des choses qui se sont passées. Ces événements, ces faits bruts de l'histoire, forment pour ainsi dire le squelette, l'armature, du récit. Chacun des verbes aux passé simple répond à la question: *Qu'est-ce qui arriva ensuite?* C'est le verbe au passé simple qui fait avancer l'action.

Recommandation: Une fois que l'étudiant aura décidé de se servir du passé simple dans un récit, il fera bien de s'y tenir. Le passage du passé simple au passé composé dans le même texte exige une connaissance approfondie de la langue (à moins qu'il n'y ait passage du récit pur au dialogue, à la conversation).

Huit types d'événements:

1. Il fut surpris par l'ennemi.

2. Il ne fut pas surpris par eux.

3. Il fut surpris de l'insolence de ses serviteurs.

4. Il ne fut pas surpris de leur insolence.

5. Il y retourna plusieurs fois de suite.

6. Il passa toute sa vie à Casablanca.

7. Il fit extraordinairement beau ce jour-là.

8. Ce fut au Mont Saint-Michel que les deux espions prirent contact.

Description:

1. Un événement concret.

2. Un événement concret qui n'a pas eu lieu.

3. Un événement mental, abstrait.

4. Un événement mental qui n'a pas eu lieu.

5. Une succession d'événements qui n'ont rien d'habituel. (Il y alla, il y retourna, il y alla une troisième fois, etc.) Aucun rapport avec «Il y retournait chaque jour».

6. Une vie entière peut être considérée comme un événement: comme un point dans la perspective de l'histoire (the 'fore-shortened perspective of time'), surtout si le début ou la fin de l'événement est connu (ou accepté implicitement).

7. Il arrive parfois qu'une phrase, qui nous semble purement des-criptive soit traitée comme un événement. (Il se trouva que la journée était / fut belle.)

8. Ce fut + locution adverbiale + que et passé simple. (Tournure assez littéraire.)

Notes:

L'on se méfiera des phrases qui contiennent des adverbes et des locutions adverbiales du temps: elles exigeront souvent un verbe au passé simple, quelle que soit leur imprécision.

Attention à la forme verbale *was*, qui ne se traduit pas automati-quement par *était*!

Consulter maintenant le texte de la page 155 et le chapitre intitulé *Le début de l'action*.

Votre professeur trouvera des explications supplémentaires et de nombreux exercices dans le petit manuel de Henri Sensine (cf. notre bibliographie).

Le conditionnel

Pour rappel:

1. S'il m'écrit, je ne lui répondrai pas.

S'il m'*écrivait*, je ne lui *répondrais* pas.

2. S'il m'avait écrit, je ne lui aurais pas répondu.

M'eût-il écrit, je ne lui aurais pas répondu.

Le débutant semble éprouver une certaine réticence devant ces constructions qui ne sont pourtant pas compliquées.

3. Il affirme: «Je ne partirai pas avant jeudi.»

Il affirma qu'il ne partirait pas avant jeudi.

4. Pourra-t-il me payer? Je n'en sais rien.

Je ne savais pas s'il pourrait me payer.

Au passé, le conditionnel remplace le futur dans le discours indirect.

Craindre

Un type de verbe qui embarrasse souvent l'étudiant:

Il craint	ils craignent
Il craignait	craignant
Il craignit	il a craint
	Il craindra
Qu'il craigne	qu'il craignît

Se conjuguent de la même façon:

Astreindre	qqn à faire qqe ch.	to compel.
Atteindre	un but concret à un idéal	to reach.
Contraindre	qqn à faire qqe ch.[1]	to compel.
Enfreindre	un règlement	to break, to infringe.
Eteindre	la lumière	to put out, etc.
Feindre	une maladie, d'être malade	to pretend, to feign.

[1] Mais: Je suis contraint *de* m'en aller (= forcé de, obligé de).

Joindre	à qqe ch.	to join together.
	se joindre à qqn	to join, to meet up with.
	rejoindre	to rejoin, to catch up.
	disjoindre	to disjoin, to sever.
	enjoindre qqn de	to enjoin, to call upon.
Peindre	qqe ch.	to paint.
	dépeindre	to depict, describe.
Plaindre	qqn	to pity.
Restreindre	qqn (se r. à)	to restrain (to limit oneself.)
Teindre	qqe ch.	to dye, to tinge.
	déteindre	to fade.

Plus rares:

Ceindre	une épée	to gird.
	enceindre	to surround, to encompass.
Empreindre	de	to impregnate with.
Etreindre	qqe ch., qqn	to clasp, to hug, to grasp.
Geindre		to whine, to whimper.
Oindre	qqn	to anoint.

LES INDEFINIS

Quiconque

Quiconque, relatif indéfini, est un mot de la langue littéraire. On le trouve au début de maximes de morales, d'expressions proverbiales, de réflexions générales. Il a donc un caractère a-temporel (voir plus bas), et une valeur quasi absolue. Il est sujet d'une proposition relative sans antécédant.

1. *Quiconque* ment se dégrade.

2. *Quiconque* ne sait pas souffrir n'a pas grand coeur. (Fénelon).

3. *Quiconque* trahissait son souverain était puni de mort.

Quiconque est l'équivalent de: *toute personne qui, celui qui, (tous) ceux qui, toutes les personnes qui*, tout + *substantif* (par exemple: Tout menteur se dégrade.) Dans les phrases (1) et (2) l'on pourrait aussi mettre *qui*, comme dans: Qui vivra verra.

4. Il parle à quiconque veut bien l'écouter. (=à qui veut bien...)

5. Il défie quiconque de ses amis de le prendre à défaut. (=*n'importe lequel* de ses amis.)

Selon les puristes, *quiconque* n'est pas fréquent comme complément. Dans le contexte des phrases (6) et (7), la banalité du sujet semble exclure *quiconque*, en dépit de sa correction grammaticale:

6. Quiconque verra ce film sera enchanté.

7. Ce spectacle ravira quiconque le voit.

Quiconque ne se trouve que rarement à la fin d'une phrase affirmative. On ne dit pas: Ils offrent leurs services à quiconque. Mais bien: à n'importe qui; ou alors: à qui voudra bien les payer.[1]

N.B. Comparer les deux phrases suivantes:

8. Il punissait tous ceux qui ne suivaient pas ses instructions.

9. Trouvez-moi l'adresse de tous ceux qui étaient au cinéma ce soir-là.

Dans la phrase (9) il n'y a pas de véritable indétermination; la personne qui parle sait (ou saura) le nombre exact de spectateurs; *quiconque* ne se justifie donc guère. Dans la phrase (8), cette comptabilité n'entre pas en ligne de compte; aussi pourrait-on écrire: *quiconque* ne suivait... Or cet argument, d'une application douteuse, n'est pas probant. Autre critère: Dans la phrase (8) nous avons une règle inflexible du maître:

Je punirai ceux qui me désobéiront;
Quiconque désobéira sera punit;
Il punissait *quiconque* désobéissait.

En revanche, dans la phrase (9), il n'y a pas de règle générale, de morale personnelle, mais bien une constatation, un fait isolé, un cas unique, etc.

De plus, il y a dans *quiconque* une «ouverture» sur le passé et sur l'avenir:

(Phrase 1) a menti   ment   mentira

(Phrase 3) allait trahir — serait puni

(Phrase 5) il saura se défendre si on l'attaque (= telle est sa nature).

(Phrase 8) il sévirait si quelqu'un se permettait...

(Phrase 9). . . . .

«C'est le ton qui fait la musique»

10. Toute personne qui perd sa carte d'identité est priée d'en aviser les autorités. (Forme polie.)

----

[1] Cependant, *quiconque* est fréquent dans les phrases négatives et après *que*: Le problème n'a jamais importuné quiconque. Il travail plus que quiconque. Défense absolue de parler à quiconque. (Daudet.) Dans la littérature du 20e siècle, *quiconque* tend à devenir fréquent, surtout comme complément. (Cf. *Le Bon Usage*, par. 591, rem. 3.)

11. Tous ceux qui désirent se faire inscrire s'adresseront au secrétariat de la faculté. (Ton neutre.)

12. *Quiconque* désire quitter la ville est tenu d'en aviser la police. (Ton péremptoire.)

Qui que+Etre

1. Je ne veux parler à *qui que ce soit*. (=absolument personne.)

2. *Qui que vous soyez*, gardez-vous bien d'entrer.

3. Il ne peut vous recevoir aujourd'hui, *qui que vous soyez*.

Ce relatif indéfini est d'un emploi restreint. Il se traduit par: whoever (you are, may be, might be), anybody at all.[1]

Quoi que

1. *Quoi qu'il fasse*, il le fait bien.

2. *Quoi qu'il* ait appris, il a tout oublié (il l'a oublié.)

3. Sur *quoi que* vous fondiez votre étude, elle sera solide.

Ce relatif indéfini se traduit par: whatever, ou anything at *all*:

4. Puis-je vous être utile en *quoi que ce soit*?

5. *Quoi qu'il en soit*. (Be that as it may.)

---

[1] Avec un autre verbe, pas très fréquent:
Qui que vous ayez *vu* à la gare (ce, ça) ne pouvait (pas) être M. Destouches.

Quel que + Etre

1. *Quel que soit* le danger, nous l'affronterons sans crainte.

2. *Quelles que soient* ses obligations, il a toujours du temps à lui.

3. *Quelles que fussent* les difficultés, il en venait toujours à bout.

4. *Quels que puissent être* ses défauts, nous ne l'en aimons pas moins.

5. *Quelles que doivent être* les obstacles, elle les surmontera tous.

Cet adjectif indéfini variable est normalement suivi de *être* ou de *pouvoir* (*devoir*) *être*. Il se traduit par: whatever. *Devoir* et *pouvoir* appellent les équivalents: might be, turn out to be, prove to be, etc.

Quelque + Substantif + Que

1. *Quelques* raisons *que* vous donniez, vous ne convaincrez personne. (Quelles que soient les raisons...)

Cet adjectif indéfini variable n'a aucun rapport avec quelques (certains, plusieurs) = some; il se traduit par: whatever, no matter what.

Quelque + Adjectif ou Adverbe

1. *Quelque bonnes que* soient vos excuses, nous ne vous lâcherons pas.

2. *Quelque bons* ouvriers *que* vous les jugiez, ils ne sauraient nous satisfaire.

3. *Quelque sérieusement que* vous travailliez, vous ne faites guère de progrès.

Cet adverbe indéfini est invariable. Il se traduit par : however.

Dans la phrase : *Quelques* bonnes *raisons* que vous donniez... *quelques* se rapporte à *raisons*, et non pas à *bonnes* !

Où que

1. *Où que* vous alliez, vous retrouvez les mêmes vertus et les mêmes vices.

2. D'où que vous veniez, vous serez surpris de nous voir agir ainsi.

Ce relatif indéfini se traduit par : wherever.

On pourrait aussi dire : *Partout où* vous irez... De quelque pays que vous veniez...

Quelconque

1. (*a*) C'est un roman (très) *quelconque*.

   (*b*) M. X., *un quelconque* maire de Province...

   (*c*) «Quelque part... la lune éclairait *une quelconque* partie du monde.» (*La Folie Céladon*.)

Il s'agit ici d'un adjectif péjoratif qui correspond à : médiocre, banal, ordinaire, insignifiant. Il est parfois méprisant (=some... or other).

2. Prenez un livre *quelconque* sur le rayon de gauche et passez-le-moi.

Cet adjectif indéfini se traduit par : any (at all). Il n'y a pas de choix à faire, n'importe quel livre (objet) fera l'affaire, l'on ne specifie pas. Cet emploi de quelconque n'est pas très fréquent. On le trouve surtout dans des expressions qui se rapportent à la démarche de l'esprit et à la manière de procéder :

> Sous une *forme quelconque*,
> d'une *manière quelconque*,
> pour une *raison quelconque*,
> *sans* manifester une *volonté quelconque* (=aucune),
> *sans* faire une *impression quelconque* (=la plus petite).

Pour les emplois de *quelconque* en mathématiques et en logique, consulter un bon dictionnaire.

Quel — Lequel — Quelque

1. Je ne sais *quel* idiot m'a pris mon porte-plume.

2. Il paraît qu'un des candidats, on ne sait *lequel*, ne s'est pas présenté à l'examen.

3. Le programme des cours étant surchargé, Jean-Claude ne savait pas encore *lesquels* il allait suivre.

4. Il sera de retour à *Dieu sait quelle* heure, sûrement pas avant minuit. (On ne sait à.)

5. Georges fit *quelque(s)* deux cent pas dans la direction de l'église, s'arrêta et ne bougea plus pendant quelque temps. Prendre par la droite ou par la gauche: *lequel* serait le plus court?

6. La représentation de hier (au) soir fut *quelque* peu décevante. (=un peu, littéraire.)

7. C'est évidemment la faute de *quelque* petit employé du Ministère. (*Quelque* peut être assez méprisant.)

N'importe

1. *N'importe qui:* anybody (at all).

    (*a*) *N'importe qui* pourrait se charger de cette affaire.

    (*b*) Pour les gros travaux, il engage un peu *n'importe qui*.

    (*c*) Il parle à *n'importe qui*; personne ne le rebute.

    (*d*) Tu ne t'adresseras pas à *n'importe qui*, tu iras voir le ministre lui-même.

L'indéterminant *n'importe qui* n'est jamais le sujet d'une proposition relative. Au lieu de: «N'importe qui verra ce film en sera ravi», mettez: «Tous ceux qui...», ou: «*N'importe qui*, voyant ce film, serait ému aux larmes».

2. *N'importe quoi:* anything (at all).

    (*a*) *N'importe quoi* aurait fait l'affaire.

    (*b*) Donne-moi *n'importe quoi* d'autre, mais pas cette robe!

    (*c*) Le petit s'amuse avec *n'importe quoi*, un bout de ficelle, etc.

    (*d*) Le gourmet ne mange pas *n'importe quoi*. (Voir notre N.B. plus bas.)

3. *N'importe où, quand, comment:* anywhere, any time; badly, etc.

    (*a*) Le glouton mange *n'importe où*, *n'importe quand* et *n'importe quoi*.

    (*b*) Pierre, tu travailles *n'importe comment*! (You do your work "any old how"!)

4. *N'importe quel + substantif:* any (at all). (Not just any, etc.)

    (*a*) *N'importe quel* divertissement vaudrait mieux que ce morne ennui.

    (*b*) Il dit *n'importe quelle* bêtise et se croit un génie.

    (*c*) Et surtout, ne lui envoie pas *n'importe quel* livre; choisis bien.

8

5. *N'importe lequel:* any, either, no matter which.

    (*a*) Lequel des deux Madame prendra-t-elle? le blanc ou le rouge? — *N'importe lequel*, je n'ai pas de préférence.

6. *N'importe, qu'importe, il n'importe guère:* no matter. *N'importe* peut être employé absolument, entre virgules:

    (*a*) A midi ou ce soir, *n'importe* (*peu importe*), je serai là pour te recevoir.

Qu'importe est peut-être plus désabusé:

    (*b*) Se traîner, marcher, courir, *qu'importe*, puisqu'on arrive toujours au but!

N.B. Dans les expressions suivantes, *n'importe* est superflu et peu recommandable:

N'importe qui que ce soit; n'importe où qu'il aille: n'importe quoi qu'il fasse; n'importe quel livre qu'il lise (dites: quelque livre): (n'importe) combien diligemment il travail (dites: quelque diligemment).

Pour justifier *n'importe*, il faudrait le faire suivre d'un point d'exclamation ou le placer après la proposition relative:

N'importe! Où qu'il aille, il se rendra ridicule.
Où qu'il aille, peu importe (n'importe), il se rendra ridicule.

Au lieu de:

N'importe ce qu'il fait, il le fait bien.

dites plutôt:

Quoi qu'il fasse, il le fait bien.
Peu importe ce qu'il fait. Il travaille toujours bien.

Remarque supplémentaire:

On peut remplacer les adjectifs et adverbes indéterminés de la façon suivante:

1. Quel que soit le danger:
Même s'il y a de grands dangers...

2. Quels que puissent être ses défauts:
   Même s'il a des défauts...

3. Quelque bonnes que soient vos excuses:
   Même si vos excuses sont bonnes...

Tout m'est égal

Qui veux-tu voir?
  N'importe qui.

Que veux-tu faire?
  N'importe quoi.

Avec qui veux-tu sortir?
  Avec n'importe qui.

Où veux-tu donc aller?
  Mais n'importe où.

Quand voudrais-tu partir?
  N'importe quand?

Et comment voyager?
  Il n'importe comment.

Quel manteau endosser?
  Peu m'importe lequel.

A quelle heure t'attendrai-je?
  A n'importe quelle heure.

De quoi, mon cher, as-tu besoin?
  Que tu me fiches la paix!

Un problème de traduction

En anglais la question plus ou moins rhétorique, exprimant la surprise, la colère ou l'amusement, et impliquant souvent une réponse négative, peut débuter par le pronom interrogatif whoever (whatever, wherever, whenever, however — how on earth, whyever — why on earth). Voici ce que cela donne en français:

1. Whoever could have thought it of him!
   Qui aurait *bien* pu imaginer ça de lui?!

2. Whatever can he be dreaming up now!
   *Qu'est-ce qu'*il peut *bien* être en train de «mijoter»?!

3. Wherever have I put that corkscrew?
   Où ai-je *bien* pu mettre ce s... tire-bouchon?!

4. Whenever are you going to mend my window?
   Quand vas-tu *enfin* me réparer cette fenêtre?!
   Quand vas-tu *te décider à*...

5. How on earth are you expecting me to help, if I don't know the details?
   Comment veux-tu que je t'aide, si j'ignore les détails de l'affaire?!

6. Why on earth don't you get someone to give you a hand?
   Pourquoi ne demandes-tu *donc* pas qu'on te donne un coup de main?!

Personne

1. Avec *ne:*

   (*a*) *Personne ne* lui a imposé quoi que ce soit.

   (*b*) *Personne ne* lui a rien demandé.

   (*c*) Il *n*'y avait *plus personne* dans la salle, pas âme qui vive!

   (*d*) Il *n*'en a soufflé mot à *personne. Personne n*'en a eu vent.

   (*e*) Il *n*'en veut à *personne,* car *personne ne* lui en veut.

   (*f*) Je *ne* connais *personne d*'aussi vulgaire que cet arriviste.

   (*g*) *Personne de vous* ne m'a jamais entendu jurer.

   (*h*) Tout allait bien, il n'y avait *personne de* malade (de blessé).

   (*i*) Croyez-le-nous, nous *ne* nous adresserons à *personne d'autre* qu'à vous.
      (Dans la littérature on trouve aussi: personne autre.)

   (*j*) *Pas une seule personne:* plus emphatique que *personne.*

L'inclusion de *pas* rend la phrase affirmative:

   Mais non, il n'y avait pas personne au salon.

Dans ces cas il vaut mieux dire, par exemple:

   (Mais si,) il y avait (bel et bien) quelqu'un au salon!

Autre phrase à éviter: Il n'aime guère personne. Remplacez par:

   Il *n*'aime *presque personne*;
   Il *n*'aime *pour ainsi dire personne*;
   C'est à peine s'il aime quelqu'un;
   Rares sont les personnes qu'il aime; etc.

Devoir: Remplacer *personne* dans les phrases ci-dessus et dans les phrases suivantes par *quelqu'un, qui que ce soit, quiconque* ou *n'importe qui.* Choisir très judicieusement!

2. Sans *ne:*

   Après: sans (que), avant (de, que), trop pour (que), suffisamment pour (que), que (comparatif), et dans les phrases dubitatives, interrogatives et conditionnelles, ainsi qu'après une principale négative.

(*a*) Je cherche dans toute la maison: *personne*! Ils ont tous décampé.

(*b*) Le cambrioleur a pénétré dans la maison *sans que personne* l'entende.

(*c*) Il en est ressorti *avant que personne* ait eu le temps d'appeler au secours.

(*d*) *Avant de* mettre *personne* au courant, méditez bien votre plan d'action.

(*e*) Y a-t-il *personne* ici *de trop* pauvre *pour* faire ce voyage avec nous?

(*f*) Je m'aventure souvent dans les bois *sans personne* à mes côtés.

(*g*) Il est plus fort dans sa spécialité *que personne*.

(*h*) *Si* jamais *personne* s'en doutait, ce serait la prison pour lui.

(*i*) Nous *doutons* que *personne* y parvienne jamais.

(*j*) Il *ne voulait pas* que *personne* fût frustré de son droit.

Genre:

Grammaticalement, surtout avec *de*, *personne* est masculin: Nous ne connaissons *personne d*'aussi avenant que Mme Labiche.
Parfois le féminin s'impose: *Personne n*'est plus *belle* que Cléopatre. (Littré.) Mais: *Personne n*'est plus *fou* que la pauvre Ophélie!
En cas de doute, mettre: aucune personne, aucune femme.

Remarques:

1. Le pronom réfléchi qui s'applique à *personne* est *soi*:

Personne n'est plus heureux à l'étranger que chez *soi*.

2. *Ni personne* est suivi d'un verbe au singulier:

Ni le ministre *ni personne* (de son entourage) ne sera tenu responsable de cette catastrophe.

Rien

1. *Avec ne:*

(*a*) «Non, *rien* de *rien*, je *ne* regrette *rien*.» (Edith Piaf.)

(*b*) (Il *n'*y a) *rien à* faire, cette montre est irréparable.

(*c*) Je *n'*ai *jamais rien* vu *d'*aussi (*de* plus) ridicule!

(*d*) Le vagabond *ne* m'a (*rien*) demandé (*d'autre*) qu'une croûte de pain.

(*e*) Il *n'*y *a rien à* en attendre.
Il *n'*y a *rien qu'à* attendre.

(*f*) Il *ne sert à rien* de s'impatienter.

(*g*) *Ni* la fortune *ni rien ne* le tent*ait* plus.

2. *Sans ne:*

Rien suit ici la même règle que *personne.*

(*h*) Y a-t-il *rien* de plus ravissant que ce portrait!

(*i*) Il m'a défendu de *rien* toucher. (Négat. implicite.)

(*j*) *Si* vous croyez que Jean y soit pour *rien*!

(*k*) Il est *trop* léthargique *pour que rien* le dérange.

(*l*) Il a fermé la porte à clef *de peur que* quelqu'un changeât *rien* à l'arrangement de la chambre.

(*m*) Le prisonnier prend la clé des champs et le geôlier *est loin de rien* soupçonner.

(*n*) Le petit se cacha dans la caverne *sans qu'*on en sût *rien*.

Devoir: Dans quels cas serait-il possible de remplacer *rien* par *quelque chose* ou par *quoi que ce soit*?

(*o*) Etudiez les emplois suivants de *rien* et complétez peu à peu votre liste:

   (i) Un homme *de rien* (méprisable; cf. un vaurien).

   (ii) *Comme si de rien n'était.*

   (iii) *En moins de rien.* (In a flash.)

   (iv) Ne faire *semblant de rien.*

   (v) Cela *ne* me *dit rien.* (Deux acceptions!)

   (vi) Je *n'y suis pour rien.* (Je ne suis pas responsable.)
      Je *n'y peux rien.*

   (vii) *De rien!*

   (viii) *Un rien* lui fait peur (=la moindre chose).
      Des riens=des bagatelles.

   Rien moins que=nullement:

  (*p*) Il n'est rien moins qu'un artiste; il n'a aucun talent.

   Rien de moins que=bel et bien:

  (*q*) Il s'agit de rien de moins que de l'abdication du roi.

   Dans la pratique, ces deux locutions sont interchangeables:
il faut donc s'en méfier!

Aucun

1. *Aucune* femme *n'*a jamais autant souffert que l'héroïne de ce
roman. (... n'a plus...)

2. De toutes vos suggestions, *aucune n'*a le don de me plaire.

3. *Aucun d'eux* (*d'entre eux*) *n'*a eu la courtoisie de nous remercier.

4. Non, je *n'*ai lu *aucun* des livres que vous m'avez défendu d'ouvrir.

5. Nous *ne* sortirons d'ici sous *aucun* prétexte, *aucun*![1]
Il est arrivé à Oran sans *aucune* difficulté. (Emphatique: sans
difficulté *aucune.*)

6. Il dit mieux sa passion *qu'aucun* poète. (Que n'importe quel
poète.)

7. De vos bons amis, *aucun* vous aiderait-il? (Dubitatif.)

8. Il fait l'impossible pour elle; *aucuns* frais *ne* le rebutent.
(*Aucun* au pluriel devant des substantifs dont le pluriel s'impose!)

9. Je ne crois pas qu'*aucune* infraction au règlement puisse être
tolérée. (Principale négative.)

[1] Voir la règle sur *personne sans ne*: elle s'applique ici.

10. Il est interdit de jeter *aucun* objet à cet endroit. (*Le Bon Usage:* négation implicite.)

11. *D'aucuns* ont prétendu que *d'aucuns* étaient malhonnêtes. (Certaines personnes.)

Impossible:

Aucun débutant *ne* fait **pas** aucune faute!

12. *Pas un* (*seul*) est plus emphatique:

Pas un seul ne recula.
Vous avez des amis, mais pas un (de) fidèle; vous n'en garderez pas un.

13. Je connaissais ces demoiselles. Plus qu'aucune Sophie se flattait de ses talents culinaires.
Je n'en ai jamais vu aucune (de) plus «cordon bleu».

Nul

1. *Pronom indéfini négatif:*

(*a*) *Nul n*'est prophète en son pays. (Proverbe.)

(*b*) Plusieurs navigateurs ont atteint cette côte; *nul n*'en est revenu.

(*c*) *Nulle* parmi elles *n*'a jamais fait preuve de plus de bonté.

(*d*) De toutes les tragédies nulle *n*'est plus mystérieuse que *Phèdre.*

Nul, sujet, est normalement masculin; il se met au féminin lorsqu'il renvoie à une femme ou à un mot féminin.

2. *Adjectif indéfini négatif:*

(*e*) Je *n*'ai *nulle* envie d'émigrer.

(*f*) Il *n*'a *nul* espoir de s'en tirer impunément.

(*g*) Il nous a dit, *sans nulle* vanité du reste, qu'il avait remporté le premier prix.

(*h*) Je vis à ma guise et *sans* (*nulle*) contrainte qui me pèse.

3. *Adjectif qualificatif péjoratif* (sans mérite):

 (*i*) Henri est *nul en* mathématiques.

 (*j*) Un contrat *nul et non avenu*. (Null and void.)

 (*k*) Les deux équipes ont *fait match nul*. (Drawn.)

 (*l*) Les bulletins de vote déchirés seront *tenus pour nuls*.

Nul est un mot de la langue littéraire; dans la langue parlée on dit plus volontiers *personne* et *aucun*. (Voir la règle de *personne* et *aucun sans ne*.) Le pluriel se rencontre parfois.

Non

 1. Vous nous accompagnez? *Non*, pas ce soir.

 2. Triste *ou non*, Marie ne délaisse jamais sa besogne.

 3. Est-ce oui ou est-ce *non*? Décidez-vous!

 4. Il est maladroit, *non* incapable (mais pas incapable).

 5. Il a choisi la voie du renoncement, moi *non*! (moi pas.)

 6. Y sera-t-il? — Je pense *que non*. (Je parie *que non*.)

 7. Imagine-toi qu'il est sorti en pantoufles. C'est drôle ça, *non*? (n'est-ce pas?)

 8. *Non*, *non* et *non*! Eh bien, *non*! *Non* vraiment! *Non* certes! *Non* jamais! Mais *non*! etc.

 9. Je ne puis pas le supporter. *Non* (*non pas*, *non point*, pas) *qu'il soit* méchant, mais il m'est si antipathique.

 10. Alors, tu n'as pas perdu tout ton argent? — Heureusement *que non* (heureusement pas), car nous en aurons besoin.

 11. Ces ennemis de toujours ont signé un pacte de *non*-agression!

 [12. Trouvez d'autres exemples de *non* + *substantif*: *non*-être, etc.]

 13. Autrefois on envoyait les débiteurs *non* solvables en prison.

 [14. Trouvez d'autres exemples de *non* + *adj*., *adv*., et *part. passés*.]

15. Il relisait *non sans* émotion (*non sans* gémir) ce roman d'autrefois.

16. Vous n'en voulez pas, *ni* moi *non plus*.

17. Il n'a pas téléphoné hier, il n'a *pas non plus* téléphoné aujourd'hui...

18. *Non seulement* l'estimons-nous, *mais encore* l'aimons-nous. (mais nous l'aimons aussi.)

19. Les votations ont eu lieu dimanche : les *non* l'ont emporté.

(«Pourquoi non» est démodé ; on dit plutôt «pourquoi pas».)

Pas — Point

Point est plus emphatique et plus littéraire que *pas*.
Pas et *point* sont incompatibles avec : aucun, rien, personne, nul, guère, jamais et plus (no more).

1. Qui est responsable ? — *Pas moi!*

2. Je *ne* les ai *pas* rencontrés.

3. Il craint de *ne pas* l'avoir compris.
                de *ne* l'avoir *pas* compris. (Plus littéraire.)

Distinguez entre :

4. A sa place, je *ne* voudrais *pas* partir.

et 5. Je voudrais bien *ne pas* partir ; mais je suis obligé de m'en aller

6. Il *n*'y a *pas que* la grammaire : l'usage y met du sien.

7. Je veux bien qu'on me cite, *mais pas qu*'on me plagie.

8. Elle adore la musique. *Pas lui* (*lui pas*). (Changement de sujet.)

9. Monsieur, j'écris des poèmes, *pas* des romans. (Même sujet, *non* est possible.)

10. Il est allé se coucher. (*Non*) *pas* qu'il soit fatigué, mais la journée de demain sera très chargée.

11. *Pas possible! Pas plus!* (You're joking), *Pas du tout. Pas encore,* attends donc !

Avec les expressions de quantité et d'intensité, on met presque toujours *pas*:

> *Pas* moins, plus (more), si, autant, trop, beaucoup, assez, etc.

12. On *n*'avait *pas* fait *assez* de réclame, car les organisateurs *n*'avaient *pas beaucoup* d'argent; ainsi nous *n*'eûmes *pas plus* de vingt personnes à notre concert.

Ne

Ne s'associe presque automatiquement à: pas, point, ni, aucun, personne, rien, guère, jamais, nul (nullement), que (restrictif) et plus, (no more).

Ne — que:

Ne — que se place avant et après les formes conjuguées du verbe, le participe présent inclus: ainsi 'Only a fool would do that' se traduit par:

1. Seul un fou ferait ça.
   Il *n*'y a *qu*'un fou pour faire ça.

et 'He won't kill his prey, he will only wound it' par:

2. Il ne tuera pas sa proie, il la blessera seulement.[1]
   il *ne fera que* la blesser.

Ne — que se rapporte à l'un des compléments du verbe:

3. Elle *ne* doit *que* 15 frs.

4. Elle *ne* doit de l'argent *qu*'à son frère.

5. Il *ne* put nous quitter *qu*'après minuit.

6. Ils *ne* voulaient *que* reprendre haleine.

7. *Ne* sachant *que* l'allemand, il se trouvait embarrassé.

8. En *ne* répondant *que* brièvement à sa lettre, je lui ai fait de la peine.

---

[1] Avec un temps composé: Il *ne* l'a *que* blessée.

9. Tu *n*'as *qu*'à lire les journaux pour être renseigné.

10. Les enfants *ne* devraient lire *que* de bons livres.

11. Il *ne* nous faut quitter la maison *que* demain.

Quand *only* n'est pas véritablement restrictif, il vaut mieux ne pas le traduire:

12. It's only fair. C'est juste; il le mérite bien; etc., selon le contexte.

13. It's only cheap. C'est bon marché; c'est une montre (etc.) bon marché.

Les verbes *se limiter, se borner, suffir*, etc. peuvent aussi servir à traduire *only*:

14. Il faut qu'il se limite à un repas par jour (only one meal.)

15. Ils se bornaient au rôle de spectateurs.
    Ils se confinaient dans le rôle de spectateurs. (They were only spectators.)

16. Il lui suffit de regarder.
    Il veut seulement regarder.
    Il *ne* veut (fait) *que* regarder.

Ne *sans autre expression négative*

17. A Dieu *ne* plaise; *ne* vous déplaise; qu'à cela *ne* tienne; je *n*'ai cure de...; je *n*'ai que faire; *n*'ayez crainte; etc.

18. Si la maison vous plaît, que ne la prenez-vous?

19. Il n'y a pas de mortel qui *ne* désire être heureux. (Subjonctif.)

20. Il *n*'*ose* bouger; il *ne cesse* de parler; il *n*'en *peut* ressortir. (Il ne cesse pas de parler: plus emphatique.)

21. Elle *ne sait* que faire (=incertitude).
    Mais: Elle ne sait pas lire (=ignorance).

22. Je *ne* saurais vous le dire. (Seulement au conditionnel.)

23. Si je *ne* me trompe (*pas* facultatif); si je *ne* fais erreur.)

24. *N*'*étaient* les oiseaux, on n'entendrait rien.
    (Si les oiseaux ne chantaient pas, ...)
    (On n'entend rien, sauf les oiseaux.)

25. Je *n'*ai *d'autre* ambition... (*pas* facultatif).

Après: depuis que, voici, voilà, *x* années, jours (etc.) + temps composés:

26. Il y a trois semaines que je *ne* l'ai vu (*pas* facultatif).

Après: ce n'est pas que, non que, non pas que + négatif:

27. Ce n'est pas qu'il *n'*ait connu la tristesse. (*Pas* facultatif.)

Ne *explétif dans les subordonnées (surtout dans la langue écrite)*[1]

(*a*) Après les verbes exprimant la crainte:

28. Je crains / j'ai peur / de peur / dans la crainte qu'il *n'*advienne un malheur.

Mais:

Je ne crains pas qu'il se présente ici.

et:

Je crains qu'il *ne* vienne *pas*.

[Les trois paragraphes (*b*) à (*d*) suivants n'ont qu'un intérêt théorique. Dans les trois cas le *ne* est facultatif. L'étudiant n'est pas astreint à s'en servir.]

(*b*) Après: douter, mettre en doute, nul doute que, il n'est pas douteux; nier, disconvenir, contester, désespérer, méconnaître, dissimuler, etc. négatif et interrogatif, *ne* est très fréquent, sauf quand on exprime un fait incontestable.

29. Nous ne doutons pas que son chagrin *n'*ait causé sa maladie.

30. Nierez-vous que Wagner *ne* soit un grand compositeur?

31. Nul doute que nous allons subir le contre-coup de cette triste affaire.

(*c*) Après une affirmation d'inégalité avec: plus, moins, mieux, autre(-ment), meilleur, moindre, pire, plutôt, etc., on trouve parfois un *ne* explétif.

32. Il agit autrement qu'il *ne* parle.

[1] Ceci s'applique aussi à: empêcher que, et éviter que.

33. Il écrit mieux en vers qu'il *ne* le fait en prose.

34. Il est moins turbulent que son frère *ne* l'était à son âge.

(*d*) Après avant que et à moins que: *ne* facultatif.

35. Il devra être liquidé avant qu'il *ne* parle.

36. Elle n'en fera rien, à moins que vous *ne* le lui recommandiez.

(*e*) *Que* veut parfois dire: avant que, sans que, à moins que. Dans tous ces cas *ne* est de rigueur.

37. Tu ne bougeras pas d'ici que tu *n*'aies fini tes devoirs.

Seulement *comme équivalent de ne — que*

Dans la langue écrite *seulement* + substantif ne peut être sujet de la phrase. (Cf. Ne — que.)

1 (*a*). On n'écrirait pas: Seulement un fou ferait ça.

3 (*a*). Elle doit *seulement* quinze francs.

4 (*a*). Ici *ne — que* est plus élégant que *seulement*.

5 (*a*) + 6 (*a*). *Seulement* après minuit; *seulement* reprendre haleine.

7 (*a*). Comme il savait *seulement* l'allemand, ...

8 (*a*). Ici *ne — que* est plus élégant (euphonie).

9 (*a*). *N'avoir qu'à* n'est pas normalement remplacé par seulement.

14 (*a*). Il voulait *seulement* rigoler. = Affaire de rigoler!

(N.B. Les autres phrases ne valent guère la peine d'être discutées.)

Ni

1. *Ni* la beauté *ni* l'intelligence *ne* nous rendent inévitablement heureux.

2. Cette citation n'est tirée *ni* de Madame Bovary *ni* de *l'Education sentimentale*.

3. Pauline *ne* désirait *pas* aller au théâtre *ni* au cinéma.
   Elle *ne* voulait voir *ni* L'Alouette ni La Fille du puisatier.

4. Le végétarien *ne* mange *pas* de viande *ni* de poisson.
   Il *ne* mange *ni* l'un *ni* l'autre, *ni* viande *ni* poisson.

5. Son discours *ne* fut *pas sans* force *ni sans* charme. Il *ne* fut *ni sans* force *ni sans* charme.

6. Elle se débattait seule, sans secours et sans appui. ... *sans* secours *ni* appui.

7. Le roi *ne* voulait *ni ne* pouvait abandonner ainsi sa ville.

8. Mon ami n'en voulut pas, et moi non plus.
                    ni moi non plus.

9. A-t-on jamais lu un poème plus élégant *ni* (ou) plus piquant ?! (Négation implicite.)

10. Il *ne* parlait jamais (*ni*) à son père ni à son oncle.
    Il *ne* leur parlait plus (*ni*) de ses affaires *ni* de ses parties de plaisirs.

Ce premier *ni* emphatique, après *personne, rien, plus, jamais*, est facultatif. En cas de doute on le laisse tomber, surtout devant l'article partitif: Il *n'*y aura *plus* d'angoisse *ni* de désolation.

L'accord du verbe:

11. *Ni* la mère *ni* l'enfant *n'*osèrent sortir de leur hutte.

12. *Ni l'un ni l'autre* ne voulurent danser ce soir-là.

Ici le pluriel marque l'idée de *conjonction*. Voici deux exemples de *disjonction*:

13. *Ni* la bouderie de son père *ni* l'ingratitude de sa mère *n'*altérait la bonne humeur de Sophie.

14. *Ni* M. X. *ni* M. Y. ne sera promu à la direction de l'école.

Règle: Se laisser guider par le bon sens. Dans beaucoup de cas on a le choix. «*Ni l'un ni l'autre*» prend normalement le singulier. Si l'un des termes est au pluriel, le verbe se met au pluriel:

15. *Ni* la prose *ni* les vers *ne* lui *font* plus plaisir.

16. *Ni* mon maître *ni* personne *n'*aura le droit de me frapper.

Ici le second terme (*personne, rien, aucun*) englobe le premier et le verbe se met au singulier.

A quelle personne mettre le verbe:

17. *Ni toi ni moi* (nous) *ne* toucher*ons* à ses objets.

18. *Ni ton frère ni toi* (vous) *ne* laisser*ez* rien sur vos assiettes.

La priorité va à la première, puis à la deuxième personne du pluriel. Le *nous* et le *vous* sont facultatifs.

19. Ce *n'*est *ni moi ni toi* qui sera puni.

Il y a disjonction. On pourrait dire : Aucun de nous ne sera puni.

Cas particuliers:

20. *Ni* l'inspiration *ne* suffit *ni* l'attention au travail.

21. Ils *ne* sont venus *ni* l'un *ni* l'autre.

Les termes placés après le verbe ne sauraient l'influencer.

22. Le soleil *ni* la mort *ne* se peuvent regarder fixement. (La Roche-foucauld.)

Dans la langue poétique et la prose soutenue le premier *ni* se trouve parfois omis.

Autre

Notions de base: différence, distinction, supplément: other, else, another, any other.

Voici les emplois qui peuvent présenter quelque difficulté:

(a) *D'autre:*

1. *Personne d'autre; rien d'autre; quelqu'un d'autre.*

2. Après son premier succès, il *n'*en a *plus* eu *d'autre*;

il n'en veut point *d'autre*;
il n'en aura jamais *d'autre*.

(mais: nul autre, aucun autre.)

3. *Qui d'autre? Quoi d'autre? Que fait-il d'autre?*

N.B. Substantif+*en*+*autre* (voir phrase 2). «Donnez-m'en un autre» se rapporte à un objet déjà nommé.

(b) *Autre comme pronom:*

4. *Un autre* se tiendrait mieux que toi (une autre personne).

5. Il n'a pour *les autres* qu'un sourire dédaigneux. (Les gens en général; autrui.)

6. *Tout autre que* toi reconnaîtrait sa faute.

7. Vous filerez par la gauche et *nous autres*, nous prendrons par la droite. (Opposition plus marquée.)

8. *Vous autres*, vous êtes tous des loustics! (Ironique, affectif.)

9. Rien ne nous surprend plus. Nous en avons vu *d'autres*! (Des choses graves, accidents, etc.)

(c) *Répétition de la préposition:*

10. Il en veut à l'un et *à l'autre*.

11. Il n'en veut ni à l'un ni *à l'autre*.

12. Elle travaillerait aussi bien pour *un autre que* (pour) lui.

13. Vous trouverez un excellent musée dans l'une et dans *l'autre* ville.

Après *un(e) autre que* la répétition est facultative (phrase 12).
   Elle l'est aussi dans la phrase 13 : *autre* est suivi d'un substantif et il y a une notion d'unité.
   Règle générale : Répétez la préposition !

(d) *Négation :*

14. Je *n'*ai *d'autre* désir que de rester à la maison=je *n'*ai *pas d'autre* désir...

15. Il est *autre* que je (*ne*) croyais.

16. Je n'ai de volonté que la sienne. (*Pas d'autre*).

(e) *Cas spéciaux :*

17. Il *n'*a *pas d'autres* ressources, *sinon* une toute petite pension (rente).
   Il n'a d'autres ressources, *sinon*...[1]

18. On nous parle toujours de Hitler, Mussolini, Stalin *et autres*.
   (Fin de liste, «dictateurs» sous-entendus.)

19. J'y ai vu beaucoup de tableaux, *entre autres* la *Joconde*.
   J'ai vu notamment la *Joconde*.

De nos jours on trouve *entre autres* sans substantif précédent : «Nous avons acheté, *entre autres*, deux exemplaires de *Guerre et Paix*.»

20. Les *trois autres* vous parviendront au jour dit. (Et non : les autres trois.)

21. Autre chose est la punition, *autre chose* la peine de mort. (... is one thing, ... is another.) Punir est une chose, infliger la peine de mort en est une autre.

22. Comparez : Je ne désire pas autre chose, et : Je ne veux rien d'autre.

23. Quelles nouvelles ? Autre chose de nouv*eau* ?
   Tou*te* autre chose me plairait mieux !

24. Il s'occupe d'autre chose d'important.
   Il s'occupe d'autres choses importantes.

[1] Par analogie avec : «Il n'a aucune ressource, sinon...» Tournure plus fréquente : «Il n'a d'*autre* ressource *que*...»

L'un — L'autre

1. *L'un* s'éprit de Louise, *l'autre* de Marie.

2. *Les uns* se mirent à courir, *d'autres* se jetèrent dans un fossé, *d'autres* encore cherchèrent la protection des arbres.

3. *Un* (*l'un*) de nous fera le guet, *les autres* tâcheront de dormir.

4. De deux choses *l'une*: vous arrivez à l'heure ou vous prenez la porte! (C'est ou bien ou bien.)

5. *L'un et l'autre* système *ont* / a des avantages évidents. (On trouve aussi: systèmes.)

6. *L'une comme l'autre* tâche me répugnent (-gne).

7. Ce sera *l'un ou l'autre*, mais pas les deux, qui remporter*a* le prix.

8. *Ni l'un ni l'autre:* voir sous NI.

9. Nous cherchions depuis longtemps un chauffeur. Enfin il *s'en* présenta *un*. Il *s'en* présenta *un autre*, puis un autre...

10. Elles se ressemblaient, et *l'une et l'autre* portaient un petit médaillon en or.

11. Il nous aurait fallu de la persévérance et de l'ardeur: *l'un(e) et l'autre* nous manquaient.

12. Ses deux fils se jalousaient *l'un l'autre*.

13. Elles s'emportaient *les unes contre les autres*.

14. *L'un ou l'autre* de vos amis arrivera bien à étouffer ces rumeurs. (=l'un de vos amis.)

15. J'en ai vu *l'un ou l'autre* plonger de ce rocher dans la mer démontée. (=quelques-uns.)

Chose

Le substantif de l'indétermination par excellence.

1. Elle y attendait *quelque chose d'*indéterminé, *de* considérable [...] (Flaubert.)

2. Nous cherchons *quelque chose d'autre, de* plus sensationnel, *qui* fasse plus d'effet.

3. Comment définir ce «*quelque chose*» qui le rend si fuyant?

4. Quelque *chose* insignifiant*e* qu'il fît, ... (Whatever!)

5. Il y a toujours quelque *chose* urgente à faire.

(Dans les phrases (1) à (3) le pluriel *choses* est impossible: dans les phrases (4) et (5) on le conçoit très bien.)

6. C'est *peu de chose*; ça se monte à *peu de chose*. (C'est bien peu; ce n'est pas cher.)

7. *Peu de chose* a été accompl*i*.
   Peu de chose vous met en colère. (Il suffit de peu.)

8. Peu de *choses* ont été fait*es*.

   Peu de *choses* vous mettent en colère!

   (Même remarque que la précédente.)

9. Paul *n'*a *pas* mangé *grand-chose* depuis hier; il *ne* reste *pas grand-chose* de bon dans le garde-manger.

10. Je l'ai eu *pour pas grand-chose*. (A bon prix.)

11. Il y a dans *Madame Bovary* [...] *bien autre chose* que des détails pris sur le vif, ... *tout autre chose* que la précision et la netteté descriptive. (R. Dumesnil.)

Gens

Genre grammatical:

1. Les adjectifs qui ne précèdent pas immédiatement *gens* se mettent au masculin, tout comme ceux qui sont suivis d'un complément.

   (*a*) Ce sont des *gens* adroit*s*.

   (*b*) Heureu*x* les *gens* qui jouissent d'une bonne santé.

   (*c*) Rassur*és* pas ces nouvelles, les bonnes *gens* du village se sont dispersé*s*.

   (*d*) Quel*s* pauvres *gens* que les avares !

   (*e*) Tou*s* les *gens* qui raisonnent ne sont pas nécessairement sensés.

2. L'adjectif qui précède immédiatement se met au féminin.

   (*f*) Certaine*s* *gens*, de villaine*s* *gens*, etc.

   (*g*) Ces *vieilles gens* n'ont pas la vie facile.

3. Quand le second adjectif a une forme distincte pour le féminin, le premier se met au féminin lui aussi.

   (*h*) Les vraie*s* *bonnes gens* sont toujours indulgents.

   (*i*) Tou*tes* les *vieilles gens* ont droit à notre respect.

   Voir, cependant, la phrase (*c*) !

4. L'adjectif se met au masculin lorsque *gens* désigne une profession, un état, une condition.

   Gens de bien, de cœur, d'esprit, du monde, de qualité, de rien, d'Eglise, d'épée, de lettres ; jeunes gens, etc. :

   (*j*) Certain*s* *gens* d'affaires sont de vrai*s* *gens* de guerre !

Gens — Personnes:

1. *Personnes* individualise et marque (socialement) l'égalité ou la déférence.

   (*a*) Nous connaissons des *personnes* peu scrupuleuses qui ne s'arrêtent à rien.

(*b*) Il y avait là beaucoup de *personnes* de qualité.

(*c*) Vous les avez vus à l'oeuvre, ce sont des *personnes* très adroites.

(*d*) Les *personnes* à qui j'ai affaire ne m'inspirent pas confiance.

(*e*) Emma vit *plusieurs* personnes se promener dans le parc.

(*f*) Nous aimerions que toutes les *personnes* présentes veuillent bien former un cercle.

(*g*) *Quelques* / *plusieurs* / *différentes personnes; trois* ou *quatre personnes;* mais: *trente-six personnes* (un bon nombre).

2. *Gens* généralise et marque une certaine supériorité de la part de celui qui parle.

(*h*) Nous connaissons des *gens* peu scrupuleux... (Plus méprisant que (l).)

(*i*) Il y avait là des *gens* de toutes espèces.

(*j*) Vous les avez vus à l'oeuvre, ce sont des *gens* très adroits. (Tous les horlogers, par exemple.)

(*k*) Ces *gens* ne sont pas de mes amis. (Méprisant.)

(*l*) Emma vit des *gens* qui couraient dans tous les sens.

(*m*) La phrase (*f*) n'a pas ici d'équivalent.

(*n*) *Mille* (*et mille gens*): beaucoup de monde, trop de monde, un monde fou, une cohue; un train bondé, une salle comble, etc.

Dans la pratique les deux termes chevauchent: l'on ne tient pas toujours compte de leurs fonctions respectives.

Quelqu'un

1. *Quelqu'un*, je ne *le* nommerai pas, m'a volé mon parapluie. *Ce quelqu'un* sera sévèrement puni. Si *quelqu'un parmi* vous (=si *l'un de* vous) le connaît, je le prierai de se taire.

2. Ce matin, dans la rue, j'ai rencontré *quelqu'un* (=*une personne*) que tu connais bien. Devine qui c'était!

3. Choisissez *qui* vous voudrez. (Pick anybody you like.)

4. Qui vivra verra. (Expression proverbiale ou sentencieuse.)

5. *Quiconque* viendra sera le bienvenu. (Voir *quiconque*.)

6. «Heureux *qui* comme Ulysse a fait un beau voyage.» (Du Bellay.)

7. Ils prirent leurs outils, *qui* un marteau, *qui* une tenaille et *qui* une scie, et se mirent au travail. (*Qui* distributif, généralement sans verbe.)

8. Je ne veux embarrasser *qui que ce soit*. (Voir *qui...*)

9. Connaissez-vous *quelqu'un* qui puisse (pourrait) lui faire cette commission?

Ne connaissez-vous *personne* qui puisse...?

10. Je suis ravi d'avoir fait la connaissance de Mlle Manche. C'est *une* personne très sympathique, *quelqu'un de* très bien, *de* très comme il faut. Ce n'est pas *n'importe qui*, une *quelconque* petite personne.

*Quelqu'un, qui, quiconque, n'importe qui,
qui que ce soit.*

Tel(le)

1. Il termina son sermon par les mots : «*Telle* est la parole de Dieu.»

2. (*a*) Sa sensibilité est *telle* que la vue du sang le fait pâlir.

   (*b*) *Tel* était son effroi qu'il ne pouvait plus bouger.

3. (*a*) Le jeune danseur tourbillonnait, *tel* (*telle*) une toupie affolée.

   (*b*) La princesse se nourrissait de miel, *telle* (*tel*) Jean dans le désert. (L'accord peut se faire avec le premier ou le second membre de la comparaison.)

   (*c*) *Tel qu'*un homme pris de vertige, le coupable s'abattit aux pieds de sa mère. (Comparaison invertie en poésie et dans la langue littéraire.)

4. Ce sont des bandits — du moins nous les
   croyons tels,
   tenons pour tels,
   prenons pour tels,
   considérons comme tels,
   traitons comme tels.

5. Ce roman, dit-on, est un chef-d'oeuvre : nous le lisons, nous le discutons et nous le *reconnaissons pour tel.* (As such.)

6. La musique est un indice de culture et, *en tant que telle*, nous la faisons apprendre à nos enfants.

7. Il m'a rendu ma dissertation *telle quelle.* (Sans y apporter de corrections, etc.)

8. Elle a passé le reste de ses jours dans *tel* village de la Bourgogne, où elle connaissait tout le monde, ... (Some, such and such.)

9. Il faudrait savoir une langue morte, *telle que* le grec ou le latin, pour apprécier les mérites de la sienne.
   (Devant un ou plusieurs exemples, *tel que* s'accorde avec le terme général qui précède.)

10. Les romanciers modernes, *tel(s)* Robbe-Grillet, n'ont pas perdu le sens du mythe.
    (*Tel* s'accorde avec l'un ou l'autre des membres de la phrase.)

11. *Telle* vie, *telle* récompense!
    Tel il a vécu, *telle* fut sa récompense.

12. On me cite *tel et tel* (*tel ou tel*) cas à l'appui, mais je ne suis toujours pas convaincu.
    (L'on rencontre parfois *tels et | ou tels*.)

13. *Un tel* me dit ceci, *tel autre* m'affirme cela : je ne sais plus à quoi m'en tenir.

14. Monsieur *un tel*=Monsieur X (=M ★★★).

Alternatives:

Dans les phrases 3 (*a*, *b*) et 9 on pourrait remplacer *tel* par *comme*.

Certain — Différent — Divers — Plusieurs — Plus d'un — Pas mal de — Maint

1. *Certain:*

    (*a*) Il a apporté *certains* changements à son plan.

    (*b*) *Un certain* bandit corse se trouvant sur le bateau, les passagers s'enfermèrent dans leurs cabines. (On trouve aussi: *Certain* bandit...)

    (*c*) (*De*) *certaines gens* se livrent à des activités illégales. (*De certains*+ substantif est un peu méprisant.)

    (*d*) *Certains* ont cru que la guerre allait finir.

    N.B. L'adjectif qualificatif *certain* (idée de certitude) est employé comme en anglais.

2. *Différent, divers:* (un petit nombre indéfini).

    (*a*) Il s'est adressé sans résultat à *diverses* personnes.

    (*b*) Au cours de son voyage il a traversé *différents* pays.

    (*c*) *A diverses* / plusieurs *reprises* (repeatedly). =plus d'une fois.

3. *Plus d'un* (*de deux, etc.*):

    1. *Plus d*'une fois nous nous sommes demandé où il avait bien pu passer.

2. Le hardi cavalier est revenu *plus de* dix fois à la charge.

4. *Plusieurs:*

(*a*) Il a visité le Prado *plusieurs* fois de suite, à quelques jours d'intervalle.

(*b*) Pierre et Paul ne s'entendent pas; ils se sont disputés *à plusieurs reprises.*

(*c*) *Plusieurs* (personnes) nous ont confié leurs appréhensions.

(*d*) De tous ces timbres, il y *en* a *plusieurs* que je possède déjà dans ma collection.

5. *Maint* (idée de répétition multiple)*:*

(*a*) Vous avez eu *mainte(s)* occasion(s) de vous rapprocher de M. X. qui n'est pas inabordable.

(*b*) *Maintes et maintes fois* je vous ai recommandé de le ménager.

(*c*) En dépit de *mainte(s)* précaution(s), il a fini par tomber dans le piège.

6. *Pas mal de:*

(*a*) Il (ne) lit *pas mal* de bouquins scientifiques.

(*b*) Par son effronterie, il s'est fait *pas mal* d'ennemis. (Quite a few.)

7. Voir aussi: *un grand nombre, beaucoup de* et *passablement de* (a fair amount), etc., qu'il n'est pas nécessaire de discuter ici.

Tout

Voir: Quiconque, gens, chaque, le gérondif, le concessif. La grammaire de *tout* étant connue, nous retiendrons les points suivants:

1. Le *tout* est plus grand que chacune de ses parties. Cet ensemble contient plusieurs *touts* distincts.

2. *Tout* mal et *toute* injustice amènent d'autres maux et d'autres injustices. (Répétition!)

3. La civilisation *tout(e)* entière sera remise en question.

4. Ma nièce fut *toute* contente, *toute* heureuse de s'installer chez nous, mais à la voir partir ses soeurs furent *toutes* découragées. (All / very!)

5. Votre mère est *tout* affabilité, *toute* compassion.

6. *Tout* Vienne assistait au mariage de son prince. (*Tout*=le peuple.)

7. *Toute* l'ancienne Babylone a disparu. (*Toute* la ville.)[1]

8. Le *Tout*-Paris se retrouva au bal des «Petits lits blancs».[2] (L'élite de la société.)

9. *Toute autre* conclusion nous aurait déçus. (Any: variable.)

10. Ce problème a une *tout autre* importance. (Quite: invar.)

11. Marie n'avait pour *toute* (=seule) distraction que l'office du dimanche.

12. *Tous* à leur travail — *Tous* en fleurs (all).
   Tout à leur travail — *Tout* en fleurs (absorbed, all over).

Locutions adverbiales avec tout:

13. (a) *Tout* en haut, *tout* à côté, *tout* contre le mur. (Right.)
       Tout de travers, *tout* d'un jet, *tout* d'un bloc, *tout* d'une haleine.

    (b) Au singulier ou au pluriel:
       A *tout* propos=à *tous* propos;

---

[1] On peut toujours dire: *tout* le village, *tout* le bourg, *toute* la bourgade de...
[2] Grand bal de charité.

... moment, heures;
De *tout* côté, part, sorte, espèce;
En *tout* pays, temps, circonstance, occasion, point.

(*c*) Au pluriel:
A *tous* égards; à *toutes* jambes; en *toutes* lettres.
Les pirates cinglaient *toutes* voiles dehors.
Le jeune général créa une armée de *toutes* pièces.

(*d*) Au singulier:
A *toute* bride, force, vitesse;
En *toute* hâte, liberté, confiance;
A *tout* prix, hasard;
Etre *tout* oreilles, yeux, en larmes (pleurs, sang, blanc);
Elle est *tout* sucre, *tout* miel.

L'étudiant complétera ces listes de locutions utiles au cours de ses lectures.

Chaque — Chacun

1. *Chaque:*

(*a*) A *chaque* jour suffit sa peine. (Prov.)

(*b*) L'oncle remit alors un petit paquet à *chaque* enfant.

(*c*) On avait placé une lampe entre *chaque* tableau de la longue galerie.

(*d*) *Chaque fois qu'*il se mettait à parler, sa femme l'interrompait. *Chaque* fois il la regardait d'un air peiné.

(*e*) Les puristes disent: Ces cravattes nous ont coûté cinq francs *chacune* (ou: la pièce / pièce). De nos jours on dit aussi: On les a payées dix francs *chaque*!

(*f*) *Chaque deux mois* est l'équivalent de: tous les deux mois, un mois sur deux, de deux mois en deux mois.
(Idem avec *pas, minutes, jours*, etc.)

2. *Chacun:*

(*g*) *Chacun* vivait *sa* petite vie *à soi* / à lui.

(*h*) L'oncle remit à *chacun* ses étrennes.

(*i*) Il parlait mal : il hésitait entre *chacun* de ses mots.

(*j*) Le professeur nous / vous / les renvoya, *chacun* à *sa* place pour y faire *ses* devoirs.

L'adjectif possessif peut toujours se rapporter à *chacun*. Mais on peut aussi dire : notre / votre / leur place, nos / vos / leurs devoirs.

[N.B. Il n'y a pas lieu de s'arrêter ici aux locutions peu usitées :

Un chacun, tout chacun, tout un chacun = qui sont équivalents à *chacun*.]

GENRE DU NOM

Genre du nom

En pratique on peut affirmer que les mots qui se terminent en -e sont féminins.

1. Nous trouvons cependant que les mots qui se terminent en -age, -isme, -ysme, -asme et -ège sont masculins: *le labourage, le libéralisme, le pléonasme, le piège*.

   Mais: *la cage, l'image, la nage, la page, la plage, la rage*.

2. Sont masculins les mois (*novembre*), presque tous les arbres (*le chêne*), les métaux (*le cuivre*), ainsi que de très nombreux termes des beaux-arts, de la marine, des anciens métiers et des sciences.

3. Sont également masculins les mots dénotant le métier, la profession, la vocation d'une personne: *un acrobate, un artiste, un agronome, un athlète, un apôtre, un architecte*, etc.

   Mais: *la crapule, la dupe, l'estafette, la recrue, la sentinelle, la victime, la vigie, Sa Majesté, la vedette*.

4. Sont masculins les verbes, adjectifs, adverbes, prépositions, etc. employés substantivement: *le rire, l'être et le paraître, le rouge, le russe, le vide, le rapide, le vague* (!), *l'arrière, le pour et le contre; un certain «je ne sais quoi»; son «zut» m'a désagréablement frappé*.

5. De plus, nous donnons ici environ 470 masculins en -e avec lesquels l'étudiant se familiarisera le plus rapidement possible:

   Liste A: mots très courants;
   Liste B: mots moins courants;
   Liste C: masculins en -aire et -oire.

LISTE A

Le / Un   *Le / Un*

Abîme
Acte (entr'-)
Aéroplane
Angle (tri-)
Antre
Appendice
Arbre
Arbuste
Article
Asile
Astre
Atome
Automate
Axe

Baptême
Bénéfice
Beurre
Blâme
Blasphème
Buste

Cable
Cadavre
Cadre
Caprice
Caractère
Carême
Casque
Centime
Centre
Cercle
Change (re-, é-)
Chapitre
Charme
Chèque
Chiffre
-cide (sui-, etc.)

Cigare
Cimetière
Code
Coffre
Comble
Commerce
Compte (ac-, es-)
Conte
Contraste
Contrôle
Costume
Coude
Couple
Couvercle
Crâne
Cratère
Crépuscule
Crime
Critère
Cube
Culte
Cycle
Cylindre

Décombres
Dédale
Délice (f. au pl.)
Déluge
Désastre
Dialecte
Dilemme
Dimanche
Diocèse
Diplôme
Disque
Divorce
Dogme

Le / *Un*

Le / *Un*

Domaine

Hospice

Dôme

Immeuble

Domicile

Incendie

Dommage

Indice

Doute

Intervalle

Drame (mélo-)

Intermède

-drome (vélo-)

Jeune

Edifice

Eloge

Kiosque

Empire

Labyrinthe

Episode

Langage

Equilibre

Lange

Espace

Légume

Exemple

Leurre

Exercice

Linge

Feutre

Litre

Fiacre

Livre(!)

Filtre

-logue (épi-, etc.)

Fleuve

Losange

Foie

Luxe

Génie

Lycée

Genre

Mais: une églogue

Germe

une épigramme

Geste

une anagramme

Gîte

la geste (poème épique)

Givre

Globe

Malaise

Golfe

Manche

-gone (hexa-)

Masque

Gouffre

Mélange

Grade

Membre

Gramme (télé-)

Mensonge

-graphe (télé-)

Mérite (dé-)

Groupe

Mètre (kilo-)

Gymnase

Meurtre

Ministère

Hélicoptère

Miracle

Hémisphère

Mode (d'emploi)

Le / *Un*

Modèle
Môle
Monastère
Monde
Monticule
Moule
Murmure
Muscle
Musée
Mystère
Mais: la manche d'un habit
      la mode féminine
      la moule = mussel

Navire
Nombre
Normandie (Nom de bateau !)

Obstacle
Office
Ongle
Oracle
Orchestre
Ordre (dés-)
Organe
Orgue (fem. au pl.)
Orifice

Pacte
Parachute
Paradoxe
Parapluie
Parjure
Parterre
Participe
Peigne
Pendule
Pétale
Peuple
Phare

Le / *Un*

Phénomène
-phone (télé-)
Pique-nique
Poêle
Poème
Poivre
Pôle
Porche
Poste (de police)
Pouce
Précepte
Précipice
Préfixe
Préjudice
Prélude
Presbytère
Prestige
Principe
Problème
Psaume
Pupitre
Pylône
Mais: la pendule (horloge)
      la poêle à frire
      La poste (lettres, paquets, etc.)

Refuge
Règne
Remède
Repère
Reproche
Reste
Rêve
Réverbère
Rhume
Risque
Rite
Rôle

Le / Un	*Le / Un*
Royaume	Temple
Rythme	Terme
	Texte (pré-, con-)
Sable	Théâtre (amphi-)
Sabre	Thème (ana-)
Sacrifice	Timbre
Satellite	Titre
Scandale	Tome
Scrupule	Tonnerre
Sépulcre	Tour
Sévice(s)	Triomphe
Sexe	Trône
Siècle	Trouble
Signe	Tube
Silence	Tumulte
Site	Type
Solde	*Mais:* la tour de l'église
Songe	
Souffle	Vacarme
Spectacle	Vase
Squelette	Véhicule
Stade	Ventre
Store	Verbe (ad-, pro-)
Style (péri-)	Verre
Subside	Vertige
Subterfuge	Vestibule
Sucre	Vestige
Suffixe	Vice
Supplice	Vignoble
Symbole	Voile
Symptôme	Volume
Synonyme (anto-, etc.)	Vote
Système	*Mais:* la voile d'un bateau

LISTE B

Amalgame	Armistice
Antidote	Artifice
Apogée	Astérisque
Arôme	Âtre

Le / Un	*Le / Un*
Auspice(s)	Distique
Axiome	Embarcadère (dé-)
Bagne	Emblème
Balustre	Equinoxe
Barème	Esclandre
Baume	Evangile
Belvédère	Exode
Binocle (mon-)	Exorde
Bocage	Faîte
Bolide	Faste
Branle	Fétiche
Calibre	Fiacre
Calice	Filigrane
Calque (dé-)	Flegme (phl.)
Candélabre	Habitacle
Carrosse	Hâle
Cartable	Havre
Cénacle	Hectare
Cerne	Hère
Châle	Home
Chambranle	Hymne (de joie)
Cierge	*Mais:* une hymne = un cantique
Cidre	
Cintre	Idiome
Cirque	Insigne
Cloître	Intermède
Concile	Interstice
Colloque	Isthme
Cône	Lexique
Crêpe	Libelle
Cyclone	Litige
Mais: la crêpe (= espèce de galette)	Lobe
	Logarithme
Délire	Lucre
Derme (épi-)	Lustre
Diabète	Magazine
Diadème	Maléfice

Le / Un

Martyre
Massacre
Mausolée
Météore
Millésime
Missile
Monopole
Mufle

Négoce

Obélisque
Oeuvre (chef-d')
Opprobre
Opuscule
Orbe
Mais: une oeuvre (un roman,
    tableau, etc.)

Palabre
Panache
Panégyrique
Paraphe
Pastiche
Patrimoine
Pécule
Périple
Physique (force)
Pilastre
Pinacle
Pore
Portique
Préambule
Prêche
Prodige
Projectile
Protocole
Prototype
Mais: la physique (=une des
    sciences naturelles)

Le / Un

Quadrille
Quinconce

Râle
Réceptacle
Réflexe
Régime
Registre
Réticule

Sacerdoce
Sacre
Sceptre
-scope (micro-)
Sémaphore
Semestre
Sévice(s)
Simulacre
Socle
Soliloque
Solstice
Somme
Stratagème
Mais: la somme d'argent

Tabernacle
Tentacule
Tertre
Théorème
Thyrse
Torse
Trapèze
Tricorne
Trimestre
Triptyche
Trombone
Tropique

Ulcère
-uple (cent-)

Le / Un   *Le / Un*

Ustensile	Violoncelle
Vaudeville	*Mais:* la vase (slime)
Viatique	Zèle
Vocable	Zeste
Vase	Zodiaque

LISTE C

Abécédaire	Suaire
Anniversaire	Vestiaire
Annuaire	Vocabulaire
Bestiaire	
Bréviaire	Auditoire
Commentaire	Conservatoire
Dictionnaire	Laboratoire
Douaire	Observatoire
Estuaire	Oratoire
Exemplaire	Purgatoire
Formulaire	Réfectoire
Frigidaire	Territoire
Funiculaire	
Glossaire	Ciboire
Honoraires	Déboires
Horaire	Directoire
Inventaire	Grimoire
Itinéraire	Interrogatoire
Lampadaire	Ivoire
Repaire	Mémoire
Rosaire	Répertoire
Salaire	Réquisitoire
Sanctuaire	*Mais:* la mémoire, une des facul-
Séminaire	tés de l'esprit

En pratique on peut affirmer que les mots qui se terminent en -e sont féminins.

(*a*) Sont également féminins les mots abstraits en -*té*: *la liberté.*

(*b*) Ainsi que les mots en -*sion*, -*tion*, -*aison* et -*oison*: *la division, la mission, la nation, la cloison* (mais: *le poison*), *la maison.* (Mais: *le bastion.*)

(*c*) Ainsi que les termes abstraits en -*eur* (+quelques termes concrets): *la peur* (*la couleur, la fleur, la sueur, la liqueur, la vapeur*). Mais: *le vapeur* (steamer), *le bonheur, le malheur, le labeur, l'honneur* (m.)

(*d*) Ainsi que des mots étrangers, par exemple: *la malaria.*
(Mais les mots empruntés à l'anglais sont presque tous masculins: *le ring, le suspense, le bridge,* etc.)

(*e*) Exceptions à la règle pratique:

La / Une	*La / Une*
A	Religion
Amitié	Tour
Boisson	Toux
Chair	Villa
Clé, clef	Vis
Cour	Voix
Dent	
Dot	**B**
Eau	
Façon (contre-, mal-)	Acmé
Faim	Alluvion
Fin	Catharsis
Foi	Chaux
Fois	Dynamo
Inimitié	Gent
Leçon	Hart
Légion	Mi-carême
Loi	Mi-janvier
Main	Mi-temps
Mer	Mousson
Moeurs (f.pl.)	Oasis
Moisson	Psyché
Mort	Rançon
Noix	Rancoeur
Part	
Peau	*Mais:* le tour (=trick, turn, trip).

Genre des mots composés

1. Verbe+ Substantif=masculin: *le pare-boue*.
Mais: *la garde-robe*.

2. Verbe+ Verbe=masculin: *le laisser-faire, le savoir-vivre*.

3. Substantif+ Substantif=prend normalement le genre du premier: *le choux-fleur* (mais: *le tête-à-tête*).

4. Adjectif+ Substantif=prend le genre du substantif: *la chauve-souris*.
Mais: *le rouge-gorge* et autres oiseaux, et
aussi: *le monosyllabe*.

5. Préposition+ Substantif=masculin: *le hors-d'oeuvre, le sans-gêne*.

Adverbe+ Substantif=prend le genre du substantif: *un avant-poste, une avant-scène, une contre-attaque*.

Comme l'on distingue mal entre les deux cas, l'étudiant fera bien d'établir deux listes au cours de ses lectures.

6. Si un mot composé désigne une personne, le sexe détermine le genre: *le* ou *la garde-barrière*.
Mais: *le bas-bleu!*

7. Locutions et expressions figées: =masculins: *un certain «je ne sais quoi»*.

Rappel: Mme Dupin est *mon professeur* de français, sa soeur est *médecin* et sa cousine *écrivain*. Sa fille est *peintre* et *sculpteur*, et sa petite-fille aspire à devenir un *modèle*.

TEXTES

Bon voyage

Je partais en voyage, je me rendais sur la Côte d'Azur. Mes valises étaient faites, bouclées; j'avais établi le meilleur itinéraire et j'avais déjà téléphoné à l'agence pour réserver un coin fenêtre[1] jusqu'à Paris et une couchette pour la nuit. Mon train partait à sept heures du soir.

Je me suis rendu à la gare en taxi. Le chauffeur s'attendait à un pourboire et il est allé me chercher un porteur. On a empilé mes valises (dont l'une était presque aussi lourde qu'une malle, car elle contenait mes livres) sur un *diable*, c'est-à-dire sur un chariot à bagages. Comme je n'avais pas beaucoup de temps et que je n'avais pas mon billet,[2] je n'ai rien déposé à la consigne.[3] J'ai passé au guichet; il n'y avait pas de queue: «Un billet aller et retour pour Nice, s'il vous plaît, première classe.» — «Cela fait trois cents francs, voici votre billet et votre monnaie. Quai numéro 8.» — «Merci, Monsieur.»

Comme la gare n'était pas grande, il n'y avait ni grilles ni portillon ni contrôle préalable. J'avais eu tout juste le temps d'acheter un Graham Greene au kiosque à journaux. Une sonnerie électrique annonçait l'arrivée du train: j'ai consulté ma montre. «Pas de retard aujourd'hui, nous serons à Paris à temps.» Un feu vert succède à un feu rouge, un signal s'agite au-dessus des voies. La lourde locomotive a l'air de m'en vouloir, et je fais un pas en arrière. Avec un jet de vapeur et bien des secousses le train s'arrête.

[1] Un coin couloir.
[2] Un ticket de métro, d'autobus, un numéro de vestiaire.
[3] On laisse, ou dépose, ses bagages à la consigne, puis on les retire.

Les employés vidaient le fourgon postal et déchargeaient les colis; on attendait que les voyageurs soient sortis avant de monter en voiture. «Ah, voilà la mienne!» Un compartiment non fumeur, très propre, un petit miroir, une photographie pâlie du château de Chambord, des filets spacieux. Je me suis dit: «Mon ami, ça manque d'air ici, baisse la glace, tu la remonteras quand nous serons en marche, tu n'aimes pas les courants d'air...» A la dernière minute j'ai aperçu deux vieilles dames qui sortaient à petits pas pressés de la salle d'attente et qui montaient dans le train, non sans difficultés. Une voix nasillarde a annoncé au haut parleur que le train pour Paris, départ du quai 8, s'arrêterait à Beauvais, correspondance pour Gournay...

A peine étais-je installé que le chef de gare a donné un coup de sifflet et que le train s'est ébranlé. Une portière a claqué. Nous avons pris de la vitesse. Le bruit des roues sur les aiguillages était tel que j'ai vite refermé la fenêtre. Deux tunnels très courts à traverser, des entrepôts à gauche, une gare à droite, des banlieues avec leurs jardinets. Nous avons brûlé les petites gares de campagne. Impossible de lire *Orient Express*, il y avait trop de choses à voir par la fenêtre. On se laisse bercer par les fils électriques qui s'abaissent, remontent, puis s'abaissent à nouveau. J'essaye de calculer la vitesse du train, mais un train qui passe en sens inverse[1] me déroute.

Le contrôleur est venu poinçonner mon billet et m'a rassuré: j'étais dans le bon train! Quelque chose brillait sous la banquette: «Une pièce d'un franc que quelqu'un aura laissé tomber, chic!» Je m'étais presque endormi et ne savais plus très bien si nous avancions ou si nous faisions marche arrière. Voyons, le trajet à parcourir est de 155 kilometres, ça fait une heure et demie au bas mot si nous faisons du 100 à l'heure...

«Mais non. Je dormirai plus tard, dans ma couchette, après avoir changé à Paris. Pour le moment je vais aller me dégourdir les jambes, déambuler dans le couloir, m'offrir une bière au wagon-bar, trouver quelqu'un à qui parler, peut-être: on dit que les voyages sont pleins d'aventures!»

---

[1] Un autre train nous croise.

Dans le labyrinthe

Une souris gravit une fois les trois marches d'un perron, franchit une porte entrouverte et s'aventura — affaire de voir — dans une maison qui lui réservait des surprises, car à peine eut-elle fait quelques pas dans le corridor obscur qu'elle entendit derrière elle un bruit sec : la porte d'entrée venait de se refermer. La souris était prise au piège de sa propre curiosité.

Il s'agit alors pour elle de découvrir une autre issue. La souris ne douta pas qu'elle trouverait aisément quelque trou, ou même un passage secret qui la rendrait à son jardin. Elle se lança donc, intrépide, dans l'exploration de ces lieux inconnus.

Le premier couloir à gauche ne la mena nulle part. Revenue à son point de départ, elle s'enfonça dans les entrailles de la maison. Elle contourna un obstacle circulaire, fit un quart de tour, longea un corridor incurvé. De couloir en couloir, d'escalier en escalier, elle avança à tâtons, monta, descendit jusqu'au moment où, se trouvant à l'orifice d'un antre poussiéreux, elle vint buter contre un objet qui faillit lui raser les moustaches, et au même instant l'horloge sonna trois heures. La souris, affolée par cette machine infernale, prit ses jambes à son cou.

Sans le savoir elle se retrouva au premier étage. Frôlant les murs, elle alla se perdre ensuite dans un autre dédale, fit volteface, repartit.

Bien qu'elle eût perdu tout sens de l'orientation, elle ne perdait pas courage. Elle longea d'autres murs encore, se hissa de paliers en paliers et, sous le toit, se fourvoya dans une espèce de colimaçon, de spirale vertigineuse. Elle se heurta à des obstacles malveillants. Elle tomba enfin, exténuée de fatigue, sur un escalier descendant, faiblement éclairé pas des fenêtres couvertes de toiles d'araignée et munies de grillages. Elle le prit, faute de mieux, et le dégringola quatre à quatre. Arrivée à la dernière marche, elle se traîna tant bien que mal jusqu'à une petite source de lumière au bout d'un ultime passage et se retrouva, éblouie, sur le perron qu'elle avait quitté elle ne savait plus depuis quand.

La souris se félicita de son flair qui l'avait si bien guidée vers la seule issue possible.

Moralité: Ne vous rendez nulle part sans votre passe-partout!

Dominique I

Ce jour-là, je chassais *aux environs du village* qu'il habite. Je m'y trouvais arrivé de la veille et sans aucune autre relation que l'amitié de mon hôte le docteur ★★★, fixé depuis quelques années seulement dans le pays. Au moment où nous sortions du village, un chasseur parut en même temps que nous sur un coteau planté de vignes qui borne l'horizon de Villeneuve *au levant*. Il allait lentement et plutôt en homme qui se promène, escorté de deux grands chiens [...] qui *battaient* les vignes autour de lui.

. . . .

Le chasseur *battait* à peu près *le même terrain* que nous et décrivait autour de Villeneuve la même évolution, déterminée d'ailleurs par la direction du vent, qui venait de l'est [...]. Pendant le reste de la journée, nous l'*eûmes en vue*, et, quoique séparés par *plusieurs cents mètres* d'intervalle, nous pouvions suivre sa chasse comme il aurait pu suivre la nôtre. Le pays était plat, l'air très calme, et les bruits de cette saison de l'année portaient si loin, que même après l'avoir perdu de vue, on continuait d'entendre très distinctement chaque explosion de son fusil et jusqu'au son de sa voix, quand, *de loin en loin*, il redressait *un écart* de ses chiens ou les ralliait.

(Légèrement abrégé.)

Eugène Fromentin (1820–76), peintre, critique, auteur d'un célèbre roman: *Dominique*. Une espèce d'autobiographie discrète, de «confession stylisée». D'une manière très émouvante, ce roman raconte une histoire d'amour et dit la résignation et les regrets qu'engendre l'espoir déçu.

Analyse

Ce texte et le suivant, que nous empruntons à Fromentin et qui révèlent le coup d'oeil du peintre, vont nous permettre de compléter notre étude du vocabulaire de l'espace et du terrain, de la configuration du terrain. (Notons au passage les expressions marquant le temps et celles qui relient le temps et l'espace.)

Aux environs du village: dans la campagne autour du village. On dit: *dans les environs* (sans complément de lieu); *Aux environs de minuit:* vers, autour de minuit.

Au levant: à l'est; *au couchant:* à l'ouest.

Battre (la campagne): la traverser dans tous les sens (ici dans le sens de chercher le gibier).

Le même terrain: le même bout de terre (avec ses obstacles, etc.)

Avoir en vue: contraire de *perdre de vue*.

Plusieurs cents mètres: on dirait plus volontiers *centaines de*.

De loin en loin: plutôt dans le temps (de quart d'heure en quart d'heure, par exemple) que dans l'espace. (From time to time, now and then, de temps en temps.)

Un écart: les chiens se sont écartés (éloignés) de leur maître.

Etudiez les locutions suivantes:

Ce jour-là, de la veille, depuis quelques années, au moment où, en même temps, pendant le reste de la journée.

Dominique II

Le soir venait. Le soleil n'avait plus que *quelques minutes de trajet* pour atteindre *le bord tranchant* de l'horizon. Il éclairait longuement, en y traçant *des rayures* d'ombre et de lumière, un grand pays plat, tristement occupé de vignobles [...] et de marécages, nullement *boisé*, à peine *onduleux*, et s'ouvrant de distance en distance, par *une* lointaine *échappée de vue*, sur la mer. Un ou deux villages blanchâtres [...] étaient posés sur un *des renflements* de la plaine, et quelques fermes, petites, isolées...animaient seules ce monotone et vaste paysage, dont l'intelligence pittoresque eût paru complète sans la beauté singulière qui lui venait du climat, de l'heure et de la saison. Seulement, à l'opposé de Villeneuve et dans *un pli* de la plaine, il y avait quelques arbres plus nombreux qu'ailleurs et formant comme un très petit parc autour d'une habitation de quelque apparence. [...] Un brouillard bleu qui s'élevait à travers les arbres indiquait qu'il y avait exceptionnellement dans *ce bas-fond* du pays *quelque chose* au moins *comme* un cours d'eau; une longue avenue marécageuse, sorte de prairie mouillée, bordée de saules, menait directement de la maison à la mer.

(*Dominique*. Légèrement abrégé.
Voir la notice du texte précédent.)

Analyse

Quelques minutes de trajet: le trajet qui lui restait n'allait pas prendre au soleil plus de quelques minutes à parcourir.

Le bord tranchant: tranchant se dit d'une chose coupante, un couteau, une voix, etc. Ici il s'agit d'une ligne bien arrêtée, précise (qui sépare le jour de la nuit, le monde visible du monde invisible).

Des rayures (f.): des bandes colorées, ou noires et blanches. Le sol est donc strié.

Boisé: couvert d'arbres, de bois, de forêts.

Onduleux: de onde (f., wave.)

Une échappée de vue: une perspective (vista) entre les collines basses, les dunes peut-être. (*De vue* est souvent omis.)

Renflement: de *enfler* (to swell). Une *enflure*=swelling of the skin.

Un pli: de *plier* (to fold). Dans la formation géologique du terrain.

Un bas-fond: la partie la plus basse du pays (dont le niveau est en dessous de la moyenne; souvent marécageux).

Quelque chose comme: l'expression est bonne, mais moins fréquente que l'équivalent anglais: something like.

Remarquez:

Le soir venait: quelques minutes plus tard on dirait: *la nuit tombait.*
De distance en distance (cf. de loin en loin).
Qu'ailleurs.
Connaissez-vous d'autres acceptions de *pli*? (prendre un pli? mettre en plis?)

Sur l'eau

Le fleuve était parfaitement tranquille, mais je me *sentis* ému par le silence extraordinaire qui m'entourait. Toutes les bêtes, grenouilles et crapauds, ces chanteurs nocturnes des marécages, se taisaient. Soudain, à ma droite, contre moi, une grenouille *coassa*. Je *tressaillis*: elle se *tut*; je n'*entendis* plus rien, et je *résolus* de fumer un peu pour me distraire. Cependant, quoique je fusse un culotteur de pipes renommé, je ne *pus* pas; dès la seconde bouffée, le coeur me *tourna* et je *cessai*. Je me *mis* à chantonner, le son de ma voix m'était pénible; alors, je m'*étendis* au fond du bateau et je *regardai* le ciel. Pendant quelque temps, je *demeurai* tranquille, mais bientôt les légers mouvements de la barque m'*inquiétèrent*. Il me *sembla* qu'elle faisait des embardées gigantesques, touchant tour à tour les deux berges du fleuve; puis je *crus* qu'un être ou qu'une force invisible l'attirait doucement au fond de l'eau et la soulevait ensuite pour la laisser retomber. J'étais ballotté comme au milieu d'une tempête; j'*entendis* des bruits autour de moi; je me *dressai* d'un bond: l'eau brillait, tout était calme.

Je *compris que* j'avais les nerfs un peu ébranlés et je *résolus* de m'en aller.

(Maupassant, Sur l'eau.)

Exercice: Etudier les mots qui ne vous sont pas familiers. Justifier l'emploi du passé historique (verbes soulignés, cf. notre leçon sur le passé simple).

Fait Divers
(Trois versions de la même anecdote)

Fait divers

Ce matin vers 11 heures, M. Dupont, commerçant, se trouvait accoudé au parapet qui protège les promeneurs tout le long de la
rivière. On ne sait encore pourquoi ni comment, mais une section
du petit mur s'est subitement effondrée. M. Dupont a perdu l'équi-
libre et n'a pu se rattraper. L'eau est heureusement peu profonde à
cet endroit. Plusieurs passants se sont portés à son secours et ont
réussi à le hisser sur la berge. Un taxi l'a ramené chez lui et M. Dupont en a été quitte pour la peur.

Un plongeon inopiné

Ce matin, sur le coup de 11 heures, M. Dubois, commerçant fort
estimé de la ville, se trouvait accoudé au garde-fou qui longe notre
belle rivière en amont de la place des Meules. Soudain, un des sup-
ports de bois, rongé par le temps et les intempéries, a cédé avec un
craquement sinistre. Incapable de se retenir à la barrière, M. Dubois a
été précipité dans le vide et, aux dires d'un témoin oculaire, a disparu sous les flots. Sous l'oeil des passants atterrés, il s'est débattu
contre le courant. Quand il s'est rapproché de la berge, mille bras se
sont portés à son secours. Un taxi qui par bonheur stationnait non
loin des lieux a ramené le nageur émérite chez lui en un temps record.

Nous pouvons affirmer que grâce aux soins diligents de sa digne
épouse, le naufragé est complètement remis des émotions de la
matinée.

Une baignade

Avant déjeuner, Deleau va s'accouder au vieux parapet qui a rendu
de fiers services à des générations de pêcheurs. Il s'appuie lourdement et contemple la rivière. Mais ne voilà-t-il pas que ce traître
parapet s'effondre sous le poids et Deleau de piquer une tête pour re-

11

joindre les poissons qu'il convoite tant. Les badauds suivent les évolutions du nageur et l'encouragent de la voix et du geste. Encore un petit effort, et le voilà qui s'agrippe à une touffe d'herbe. Il lâche sa prise, retombe, puis reparaît nu-tête: le courant emporte son chapeau! La foule hurle de joie. L'homme, dégoulinant de toute part, parvient à enjamber ce qui reste du parapet. On lui fait cortège jusqu'au fiacre qui le ramène à toute allure chez son épouse effarée.

Le curé de campagne

L'idée m'est venue hier sur la route. Il tombait une de ces pluies fines qu'on avale à pleins poumons, qui vous descendent jusqu'au ventre. De la côte de Sainte-Vaaste, le village m'est apparu brusquement, si tassé, si misérable sous le ciel hideux de novembre. L'eau fumait sur lui de toutes parts, et il avait l'air de s'être couché là, dans l'herbe *ruisselante*, comme une pauvre bête épuisée. Que c'est petit, un village! Et ce village était ma paroisse. C'était ma paroisse, mais je ne pouvais rien pour elle, je la regardais tristement s'enfoncer dans la nuit, disparaître... Quelques moments encore, et je ne la *verrais* plus. Jamais je n'avais senti si cruellement sa solitude et la mienne. Je pensais à ces *bestiaux* que j'entendais tousser dans le brouillard et que le petit vacher, revenant de l'école, son cartable sous le bras, *mènerait tout à l'heure* à travers les *pâtures* trempées, vers l'étable chaude, *odorante*... Et lui, le village, il semblait attendre aussi — sans grand espoir — après tant d'autres nuits passées dans la boue, un maître à suivre vers *quelque* improbable, *quelque* inimaginable asile.

Georges Bernanos, polémiste et romancier français (1888–1948). Texte tiré du premier chapitre du *Journal d'un curé de campagne* (1936) dont a été tiré un très beau film.

Analyse

L'idée: Le jeune prêtre qui parle vient de découvrir la véritable maladie qui ronge sa paroisse: c'est l'ennui. Remarquez comment l'auteur nous fait sentir cet ennui à travers le thème de la pluie. «L'anatomie» de la deuxième phrase, fait bien voir combien l'homme est poreux, perméable et, partant, vulnérable.

Ruisselante, odorante: Adj. verbaux des verbes intransitifs *ruisseler* et *odorer*. (Un visage ruisselant.)

Verrais, mènerait: Conditionnel à la place du futur dans la perspective du passé.

Bestiaux: Animaux domestiques élevés en troupeaux. Sert parfois de pluriel de *bétail* (cattle).

Tout à l'heure: Dans un moment, un peu plus tard, sous peu (presently).

Pâtures: Nourriture des animaux. Ici: *pâturages* (lieu où les animaux *pâturent* ou *paissent*).

Quelque: Plus indéterminé, plus illusoire, que *un(e)*; (cf. l'anglais *some — a*).

Quelques emplois de l'infinitif:

..., et il avait l'air de s'être couché là, ...
..., je la regardais tristement s'enfoncer ...
.... ces bestiaux que j'entendais tousser ...
..., il semblait attendre aussi ...
.... un maître à suivre ...

Dargelos

A droite, sur le trottoir qui touchait *la voûte*, on interrogeait un prisonnier. *Le bec de gaz* éclairait la scène *par saccades*. Le prisonnier (*un petit*) était maintenu par quatre élèves, son buste appuyé contre le mur. Un grand, accroupi entre ses jambes, lui tirait les oreilles et l'*obligeait à* regarder d'atroces grimaces. Le silence de ce visage monstrueux qui changeait de forme terrifiait *la victime*. Elle pleurait et *cherchait à* fermer les yeux, à baisser la tête. A chaque tentative, le faiseur de grimaces empoignait de la neige grise et lui frictionnait les oreilles.

L'élève pâle contourna le groupe et *se fraya une route* à travers *les projectiles*.

Il cherchait Dargelos. Il l'aimait.

. . . .

Dargelos était le coq du collège. Il *goûtait* ceux qui le bravaient ou le *secondaient*. Or, chaque fois que l'élève pâle se trouvait en face des cheveux tordus, des genoux blessés, de la veste aux poches *intrigantes*, il perdait la tête.

La bataille lui donnait du courage. Il *courrait*, il rejoindrait Dargelos, il se battait, le défendrait, lui prouverait de quoi il était capable.

Les Enfants terribles, roman de Jean Cocteau (1929). C'est l'histoire de deux enfants, de deux adolescents, qui, après avoir joué pendant longtemps un jeu extraordinaire, finissent par être détruits par leur défi à la convention.

Analyse

La voûte: arch, vault (on parle d'un *dos voûté*).

Le bec de gaz: lamp post.

Par saccades: par à-coup; à intervalles fréquents mais irréguliers (le tir saccadé d'une mitrailleuse; staccato).

Un petit: élève des classes inférieures.

L'obligeait à: actif. Mais: Il est obligé *de* regarder.

La victime: Victime est toujours féminin, quel que soit le sexe de la personne. Remarquez le *elle* qui suit!

Cherchait à: essayait *de*, tentait *de*.

Se fraya une route: se frayer un chemin, un sentier (parmi les obstacles, dans la foule), etc.

Les projectiles: masc., ici les boules de neige.

Il goûtait: goûter = to taste. Ici: prendre plaisir à, apprécier, estimer.

Seconder: Prononcez le c comme un g dur (= second!).

Intrigantes: adj. verbal. Le part. prés. s'écrit: *intriguant*.

Il courrait: conditionnel (futur du point de vue du passé).

Justifiez les expressions suivantes: *son* buste, *ses* jambes, *les* oreilles (2×), *les* yeux, *la* tête (2×).

Petite Pomme Rouge

Petite Pomme Rouge était une enfant donnée par les fées. Sa voix avait tant de *charme!* Elle chantait, et les feuilles s'arrêtaient de battre, le vent *se posait.* Un jeune seigneur l'entendit. Sa surprise fut d'autant plus grande qu'il ne voyait personne. Après bien des recherches, de pommier en pommier, il aperçut une demoiselle pas plus *grosse* qu'une pomme. Il *devint amoureux* de Petite Pomme qui chantait. Son père avait rêvé pour son garçon d'une fille plus belle; il se mit en colère et s'opposa au mariage. Le jeune homme tomba en langueur et *force fut* au père de consentir à une union qui le flattait peu. Petite Pomme savait bien qu'elle aurait *taille normale* quand elle réussirait à faire rire la fée, sa marraine, qui ne riait jamais. Aussi demanda-t-elle que le cortège passât devant le château de cette fée trop sérieuse. Bien plus, Petite Pomme *prétendit figurer* dans ce cortège, montée sur un gros dindon à la crête large comme les deux doigts. Il fallut céder. Comme Petite Pomme franchissait, sur un pont fleuri, un joyeux ruisseau, on entendit dans l'eau un immense éclat de rire. C'était la fée qui mourait de joie *en voyant* sa filleule qui se pavanait *en pinçant* la crête du dindon. Elle leva sa baguette magique; Petite Pomme apparut sous les traits d'une grande et *rêveuse* jeune fille.

Charles Silvestre, *Le voyage rustique*, p. 32, Paris, 1929. Ce romancier du Poitou et du Limousin a fait dans plusieurs de ses livres la peinture des moeurs campagnardes. Dans le *Voyage rustique*, presque sans trame, il fait passer devant nos yeux les saisons, les labeurs et les fêtes des petites gens, leurs légendes, leurs contes et leurs proverbes. Ce livre ne raconte que du vécu. Il fait preuve à la fois d'esprit, de sympathie et de simplicité. Il mériterait d'être lu et médité dans nos écoles.

Analyse

Charme (m. s.): le substantif a plus de force que l'adjectif «charmant» qui est presque aussi affaibli que «nice».

Se poser: baisser, tomber (drop, etc.); une personne posée, calme (sedate): une voix posée (even, steady): posément.

Grosse: le choix de l'adjectif dépend de «pomme». On dirait «pas plus grande que la main», pas plus haute qu'une herbe».

Devenir amoureux: tomber a., s'éprendre; ils sont épris l'un de l'autre.

Force lui fut: il fut forcé, obligé, contraint; il n'eut pas le choix.

Taille normale: l'absence de l'article est un peu archaïque; taille: ici grandeur (not *waist*).

Prétendit: demanda, exigea, voulut, etc. (faux ami!).

Figurer: faire partie du c., y prendre une part active, en être.

En voyant, en pinçant: pour les fonctions et emplois du gérondif, voir pages 85–86.

Rêveuse: en raison de l'ambiguïté moderne de *dreamy*, nous suggérons *pensive*.

Blanchet

A partir de la mort de sa mère, le caractère de Blanchet *changea* peu à
peu, sans pourtant s'amender. Il *s'ennuya* davantage à la maison,
devint moins regardant à ce qui s'y passait et moins avare dans ses
dépenses. Il n'en *fut* que plus étranger aux profits d'argent, et comme
il engraissait, qu'il devenait dérangé et n'aimait plus le travail, il
chercha son aubaine dans des marchés de peu de foi et dans un petit
maquignonnage d'affaires qui l'aurait enrichi s'il ne se fût mis à
dépenser d'un côté ce qu'il gagnait de l'autre. Il *apprit* à jouer et
fut souvent heureux; mais il eût mieux valu pour lui perdre toujours, afin de s'en dégoûter; car ce dérèglement *acheva* de le faire
sortir de son assiette, et, à la moindre perte qu'il essuyait, il devenait
furieux contre lui-même et méchant envers tout le monde. Pendant
qu'il menait cette vilaine vie, sa femme, toujours sage et douce,
gardait la maison, élevait avec amour leur unique enfant. *Dès* les
premiers temps de son libertinage son mari *se montra* encore très
rude, parce qu'il craignait les reproches et voulait tenir sa femme en
état de peur. *Quand* il *vit* que par nature elle haïssait les querelles et
qu'elle ne montrait pas de jalousie, il *prit* le parti de la laisser tranquille.

(George Sand, 1804-1876.)

Analyse

Ce texte nous raconte une histoire! N'oublions jamais que le développement d'un caractère peut être considéré comme une histoire, comme une suite d'événements, narré et non pas décrit (comme le serait un tableau statique). Le temps de la narration est le passé (simple ou composé). En général, le narrateur nous dit implicitement ou explicitement quand se passe l'action, à partir de quel moment se déroule l'histoire. (Parfois nous en savons aussi la fin.) Les indications relatives au temps peuvent être précises (= à trois heures) ou imprécises (= puis, quand, etc.).

Nous avons:

le début de l'action: *A partir de la mort de sa mère*, renforcé par: *Dès les premiers temps* et *quand*;

les verbes principaux: *changea, s'ennuya, devint, fut, chercha, apprit, fut, acheva, montra;*

quand (au moment où, et non: chaque fois que!) et deux verbes qui en dépendent: *vit, prit.*

l'imparfait dans les subordonnées: *passait, engraissait, devenait dérangé, aimait, gagnait, essuyait, menait, craignait, voulait, haïssait, montrait;*

l'imparfait de la répétition: *il devenait furieux;*

gardait, élevait: le passé simple serait possible. Ici G. Sand fait entrer la femme dans le cadre général, dans la toile de fond qui ne change pas. «Que faisait-elle pendant ce temps?»

Les autres verbes n'entrent pas dans le cadre de notre discussion.

Devoir: Récrire tout le paragraphe à l'imparfait: *Evidemment, le caractère de Blanchet changeait...* (Gare à *acheva, quand il vit, prit!*)

Emma Bovary

Quand sa mère mourut, elle pleura beaucoup les premiers jours. Elle se fit faire un tableau *funèbre* avec les cheveux de la *défunte*, et, dans une lettre qu'elle envoyait aux *Bertaux*, toute pleine de réflexions tristes sur la vie, elle demandait qu'on l'ensevelît plus tard dans le même *tombeau*. Le bonhomme la crut malade et vint la voir. Emma fut *intérieurement* satisfaite de se sentir arrivée du premier coup à ce rare idéal des existences pâles, *où* ne parviennent jamais les coeurs médiocres. Elle se laissa donc glisser dans les méandres lamartiniens, écouta les harpes sur les lacs, tous les chants de cygnes mourants, toutes les chutes de feuilles, les vierges pures qui montent au ciel, et la voix de l'Eternel discourant dans les vallons. Elle *s'en ennuya*, n'*en* voulut point *convenir*, continua par habitude, ensuite par vanité, et *fut* enfin surprise de se sentir apaisée, et sans plus de tristesse *au* coeur que de rides sur *son* front.

Gustave Flaubert, *Madame Bovary* (1857; extrait du chapitre 6). Ce très beau roman, le premier que Flaubert livra au public, se situe à mi-chemin entre le romantisme et le réalisme. Il est chargé d'une ironie plus ou moins cachée qui, dans ce paragraphe, porte sur les poncifs, les clichés sentimentaux du romantisme et, en particulier, sur les *Méditations* de Lamartine dont le style coulant n'avait pas le don de plaire au romancier. (Voir *Les Préludes, Nouvelles Méditations Poétiques*; ce poème date probablement de 1823.)

Analyse

Funèbre: relatif aux funérailles, à la mort: chant, cri funèbre; lugubre, sinistre, etc.

    Funeste: qui apporte la mort, le malheur; un conseil funeste; nuisible, fatal.

    Funéraire: qui concerne les funerailles; frais, drap f.

Défunte: la morte (style officiel, plus élevé, comme *funérailles* et *ensevelissement* sont plus recherchés que *enterrement*).

Bertaux: ferme de M. Rouault, père d'Emma.

Tombeau: monument élevé sur la ou les tombes, t. de famille.

Intérieurement: contraire d'extérieurement (pas "internally"!).

Où: ici *où* remplace *auquel*. Flaubert fait la guerre aux *qui, que* et leurs composés.

S'ennuyer de: ces choses l'ennuyèrent (bored with).

Convenir de: admettre. (Aussi: se mettre d'accord; c'est convenu (agreed); cela me convient (that suits me).)

Fut: elle remarqua / comprit tout à coup (enfin!)

Au: dans son coeur (comme: mal au bras, à la tête).

Son: voir règle, page 58.

Que pensez-vous de l'absence de préposition devant «les premiers jours»? de *mourants* au pluriel?

Quel est le pluriel de *bonhomme*?

La critique I

La critique est surtout un don, *un tact, un flair*, une intuition ; elle ne s'enseigne pas et ne se démontre pas, elle est un art. Le génie critique, c'est l'*aptitude* à *discerner* le vrai sous les apparences et dans les *enchevêtrements* qui le *dérobent* ; à le découvrir malgré les erreurs de *témoignage*, les *fraudes* de la tradition, la poussière des temps, la perte ou l'*altération* des textes. C'est *la sagacité* du chasseur que rien n'*abuse* longtemps et qu'aucun *stratagème* ne *dépiste*. C'est le talent du *juge d'instruction* qui sait interroger les circonstances, et de mille mensonges fait jaillir un secret inconnu. Le vrai critique sait tout comprendre, mais ne *consent* à être *la dupe* de rien, et ne fait à aucune convention le sacrifice de son devoir qui est de trouver et de dire le vrai.

Henri-Frédéric Amiel, 1821–81, écrivain genevois, un moraliste inquiet, un psychologue pénétrant. A notre savoir, son *Journal* n'a jamais été publié intégralement. Notre extrait date du 19 mai 1878.

Amiel traite le livre un peu comme le détective l'énigme policière. Plus loin il va énumérer les qualités requises pour faire de la critique : l'érudition, la culture générale, la probité, diverses *capacités*, la grâce, la délicatesse, etc., etc.

De quoi décourager un critique en herbe !

Analyse

Le tact, le flair, la fraude, la sagacité, le stratagème, la dupe, discerner, con-sentir à: On tend à négliger, dans ses lectures, les mots aisément re-connaissables. Il faut pourtant se rendre compte de leur existence et les mettre à contribution, tout comme il faut toujours profiter d'un contexte donné.

Un enchevêtrement: confusion, désordre. (S'enchevêtrer=s'engager les uns dans les autres; entangle(ment).)

Dérober: voler; cacher, dissimuler (Se d.=se soustraire à).

Témoignage (m.s.)*:* le témoin apporte son témoignage (witness); signe, trace, rapport d'une expérience vécue, preuve.

Altérer: changer, généralement en mal; s'altérer=se détériorer.

Abuser: tromper, égarer. Abuser de=faire un emploi abusif de. Si je ne m'abuse=si je ne me trompe pas.

Dépister: découvrir la trace. Ici: détourner de la piste (=track).

Juge d'instruction: examining magistrate.

Aptitude (fem.)*:* à faire quelque chose (cf. facultés, intelligence, talent).

Capacité (fem.)*:* qualité de celui qui est apte à faire quelque chose, la somme du travail qu'il est capable de fournir.

Attention: le mot «capabilité» n'existe pas!

La critique II

Il est peu d'écrivains aussi grands que Corneille qui *soient* aussi sommairement jugés que lui. Il y a à cela bien des *motifs*, dont le plus puissant est, sans doute, l'aversion du plus grand nombre pour la littérature *moralisante*, dans laquelle les souvenirs de collège enferment la tragédie cornélienne. Le retour à Corneille un peu partout *signalé* depuis quelques années n'a guère *affecté* le grand public. Corneille *demeure*, pour le lecteur moyen de notre temps, une sorte de classique *aggravé*, en qui les *bienséances* littéraires, communes à toute *école*, *se doublent d'une inhumaine bienséance morale*. Aussi continue-t-on de lui refuser généralement cette sympathie, que la hardiesse attribuée à leur génie *a value* à Racine ou à Moliere.

Paul Bénichou, *Morales du grand siècle*, page 15 (NRF, Collection Idées, Paris 1967. Edition orig. 1948).

«Le présent essai a eu pour origine le désir de retrouver quelques-uns des rapports qui ont pu unir, au cours d'un siècle [le dix-septième s.], les conditions de la vie et ses conditions morales.» (Début de l'Introduction.)

Dans ce paragraphe, Bénichou s'en prend, sans les nommer, aux manuels de littérature trop simplistes, qui donnent à l'écolier des idées erronées sur le théâtre cornélien. Est-il vrai, par exemple, que Corneille enseigne une morale inhumaine ? A le relire *autrement* notre sympathie lui reviendrait, peut-être.

Repenser ici à l'attitude assez négative de beaucoup d'Anglais envers Shakespeare.

Analyse

Il est: il y a, il se trouve; langue littéraire et poétique.

Soient: voir l'emploi du subjonctif dans les relatives.

Motifs: mobiles, causes, ressorts de l'action, motivation psychologiques; ce mot amène logiquement *puissant* et *aversion*. *Raisons* serait plus statique, plus intellectuel.

Moralisante: qui propose une leçon de morale. L'on appelle *moralistes* les grands écrivains classiques et leurs successeurs qui ont été à la fois psychologues et moralisateurs, qui ont observé et jugé les moeurs.

Signale: fait remarquer, attire l'attention sur quelque chose.

Affecté: touché, eu d'influence, influencé.

Demeure: reste, est encore (et non: habite!)

Aggravé: ce mot décrit en général une maladie, un état, une condition, une situation politique, etc. Ici il est inattendu et veut dire *plus purement moralisateur* (aux yeux des lecteurs mal avertis.)

Bienséance (f.): ce qui se fait et ne se fait pas, règles de politesse et de conduite.

Ecole: école littéraire, groupe d'auteurs ayant en commun certains traits d'une esthétique plus ou moins définie.

Se doubler de: avoir ou prendre une seconde qualité; être à la fois une chose et l'autre. (Voir: doubler, dédoubler, redoubler.)

Une inhumaine bienséance morale: remarquer l'ordre des mots; changement possible: *inhumaine* pourrait suivre *morale*; le parallélisme *littéraire–morale* serait alors perdu.

A value: a suscité en nous envers Racine... *Valoir à* indique et la cause et l'effet. *Mon insolence m'a valu une gifle.*

La critique III

La vérité, en toutes choses, *à la prendre* dans son sens le plus pur et le plus absolu, est ineffable et insaisissable; en d'autres termes, une vérité est toujours moins vraie, exprimée, que conçue. Pour l'amener à cet état de clarté et de précision qu'exige le langage, il faut, plus ou moins, mais nécessairement et toujours, *y ajouter* et *en retrancher*; *rehausser* les teintes, *repousser* les ombres, *arrêter* les contours; de là tant de vérités *exprimées* qui ressemblent aux mêmes vérités *conçues*, comme des nuages de marbre ressemblent à des nuages. C'est souvent un peu la faute de l'ouvrier, c'est toujours et partout la faute de la *matière*.

Dans ce que nous écrivons, il y a toujours et presque nécessairement *les trois quarts d'inexact*, d'incomplet, qui a besoin de correctif, et qui *donne beau jeu au* lecteur *de mauvaise volonté*. Mais qui est-ce qui écrit pour les lecteurs de mauvaise volonté?

Sainte-Beuve, *Vie, Poésie et Pensées de Joseph Delorme*, pensées II et III (extraits), 1829.

«Joseph avait l'habitude d'écrire sur des *feuilles volantes* [...] les remarques qu'il avait entendues de ses amis ou qui lui venaient, à lui dans ses lectures et ses promenades. [...] Les Pensées ont trait à divers points spéciaux de poésie et d'art [...]» (Pensée I, extr.)

Joseph Delorme est un poète romantique fictif; sous cette fiction, le grand critique nous a laissé une pseudo-biographie, des réflexions sur l'art et une cinquantaine de poèmes d'un ton intime et douloureux, dont le mieux connu et le plus moderne s'intitule *Les Rayons jaunes*.

Analyse

A la prendre: si nous la prenons.

Y ajouter: ajouter quelque chose à la vérité exprimée.

En retrancher: ôter quelque chose à cette vérité. (Dans les deux cas le «quelque chose» reste sous-entendu.)

Rehausser: rendre plus vivant, plus coloré.

Repousser: travailler l'argent, etc., avec un marteau. Ici, au figuré, rendre la pensée plus plastique, plus nuancée.

Arrêter: (ici) rendre plus précis.

Matière: la vérité exprimée (le sujet et la langue).

Les trois quarts d'inexact: remarquez le *de*. «Il y en eu la moitié de perdu et un quart de gâté.»

Donner beau jeu à: rendre la tâche facile (au critique). Avoir beau jeu = être dans des conditions favorables.

De mauvaise volonté: on pourrait aussi dire «de mauvaise foi».

Feuilles volantes: feuilles détachées (d'un cahier, etc.).

Livres d'enfants

C'est le temps où Rousseau fit entendre sa grande voix, cette voix qui troubla toutes les consciences et *remit en question* tous les problèmes, ceux de l'art, ceux de la politique, ceux de l'amour. Puisqu'il voulait *revivifier* l'homme il fallait bien qu'il commençât par la base et qu'il traitât de l'éducation. Non pas qu'il *se mît en peine* de livres pour l'enfance, puisqu'il écartait de son *Emile* tous les livres, tous, sauf *Robinson Crusoe*. Mais il *revendiqua* les droits *du* spontané contre *le* mécanique, *du* primitif contre *l'artificiel* : et c'est ce qu'on appelle une révolution.

Quand ils l'*eurent* bien écouté et qu'ils se furent *imbus* de ses *maximes*, les écrivains qui désormais songeaient au public des petits firent exactement le contraire de ce qu'il demandait. Dès qu'ils saisissent la plume, ils méconnaissent ce primitif, ce spontané qu'ils louent ; ils ne procèdent que *par artifice*, et sous prétexte de la libérer, ils oppriment davantage l'âme des enfants. Ces pédagogues qui ne *prétendent* que travailler au grand air, qui ne parlent plus que des bienfaits du soleil, de la pluie et même du vent, mettent *leurs plantes en serre, les forcent, les taillent*, leur impriment une direction savante : plus autoritaires que *Le Nôtre* qui, du moins, ne se vantait pas de suivre la nature au naturel.

> (Paul Hazard, *Les Livres, les Enfants et les Hommes*, Paris, 1949.)

Devoir : Essayez l'analyse des termes *en italiques* (ou de tout autre).

EXERCICES PRATIQUES

1. *Le long de la route*

Après avoir bien répété la leçon en classe, faites votre propre diagramme et décrivez-le oralement ou par écrit.

2. *Dénivellations*

Comme pour la leçon précédente. Répondez à des questions du genre: Quelle est l'altitude de la colline ? A quelle altitude se trouve le fond de la vallée ? Quelle est la différence de niveau entre A et B ? Quelles lettres représentent les points les plus bas et les plus élevés de votre courbe ?

3. *Bifurcations*

Comme pour les leçons précédentes.

4. *Obstacles*

   (*a*) Comme pour les leçons précédentes.
   (*b*) L'artiste de la classe dessinera un «petit paysage stylisé», puis les élèves poseront des questions à leur professeur, s'inspirant des expressions apprises.

Etudier le texte intitulé *Dans le labyrinthe*.

5. *Une excursion*

Narrez une excursion imaginaire. Servez-vous des termes appris tout en variant le détail: il ne suffit pas de copier! Rappelez-vous que ce sont les verbes qui font une bonne narration.

Vocabulaire supplémentaire: Si votre promeneur s'est trompé de chemin, vous pouvez dire qu'il a fait fausse route, qu'il s'est fourvoyé dans un dédale de petits chemins, qu'il est entré par mégarde dans une propriété privée et qu'il a dû rebrousser chemin (revenir sur ses pas). S'il ne connaît pas bien le chemin, il va au petit bonheur et il risque fort de tourner en rond le reste de la journée.

6. L'éloignement

Plusieurs objets placés, et déplacés, sur une table permettront de discuter leur position respective, leur proximité et leur éloignement.

L'un des buts de ces exercices est de mettre à contribution la mémoire et l'imagination, l'autre de venir à bout de sa timidité!

7. Les subdivisions géographiques

Décrivez oralement ou par écrit le lieu que vous habitez. (Dans tous les exercices tâchez de compléter le vocabulaire que nous donnons dans les leçons.)

8. Le sens de l'orientation

Plusieurs personnes se promènent dans votre ville (etc.); décrivez leurs allées et venues. (Pour les exercices 7 et 8 une carte locale pourrait vous être utile.)

9. Adverbes et locutions adverbiales de lieu

Traduisez:

(a) We painted the wall red from top to bottom. (en rouge.)
(b) Not here, please, over there!
(c) In the background stood a solitary figure. (*Debout* n'est pas nécessaire.)
(d) He took a step forward, then he beat a hasty retreat.
(e) At the stern, the national flag was flying in the wind.
(f) We used to have all our meals outside, on the terrace.
(g) Here and there, in the starry sky, you could see shooting stars.
(h) The house is easier to reach from above than from below.
(i) Half way up the slope a clump of trees sheltered us from the sun.
(j) How impatient we were to be up there and to contemplate the high mountains beyond the wooded plain.
(k) Around a big, rectangular landscape there hung four smaller pictures, one on each side, one above and one underneath.

(*l*) The pigeons suddenly took fright and flew off in all directions.

10. *En et dans*

... cette ville, ... Belgique, ... Portugal (!); aller de maison... maison; un oiseau... la main; ... permission (on leave); il a fait bien des kilomètres... une journée; il sera de retour... une heure; ... le temps (autrefois); ... ses poches; ... pantoufles; ... désaccord; mettre... doute; un roman... dix parties; cette machine n'est pas... bon état; le voilier est entré... le port; ... même temps.

Tirez de vos lectures des expressions avec *en* et *dans*. Avez-vous des remarques à faire?

11. *La notion de limite*

Traduisez:

(*a*) The sum of money tourists could take out of the country was reduced to £50.
(*b*) We must accustom ourselves to making do with the bare minimum.
(*c*) Their resources were very scanty.
(*d*) Stupid people are not always aware of their lack of intelligence.
(*e*) At every milestone he would stop his car in order to check his mileometer. (Son compteur.)
(*f*) We walked part of the way together.
(*g*) At the other end of the street a policeman was directing the traffic.
(*h*) Our stay was drawing to a close.
(*i*) A sudden shower put an end to our walk.
(*j*) After this last escapade of his, I have finally run out of patience with him. (Ne traduisez pas *with him*.)

Etudiez les textes intitulés *Dominique*.

12. *Analyse d'un échiquier*

Voir nos suggestions au bas du texte de la leçon.

13. *Arithmétique et géometrie de tous les jours*

Lisez:

1 234 567 789 (un millard...).
$2 \times 2 = 4$. $3 \times 33 = 99$. $4 \times 17 = 68$.
$1 + 2 + 3 + 4 + 5 + 6 = 21$.
6 frs + 7 frs + 50 cents = 13 frs 50.
8 litres + 4 décilitres + 6 décilitres = 9l.
$9 - 5 = 4$ $80 - 35 = 45$ $121 - 71 = 50$.
1 kg − 500 = 500 g (une livre).
$88 : 11 = 8$ $400 \text{ km}^2 : 10 = 40 \text{ km}^2$.
713 n'est pas divisible par trois. (Preuve: $7 + 1 + 3 = 11$!)
——————— cette ligne mesure 1,5 cm (virgule!), et ce cube 1 cm³
(cube).

Dates: en 1215, 1367, 1478, 1699; l'an 1000.

Dessinez rapidement: une droite, une ligne brisée, un ovale, un triangle, un rectangle, une cellule d'abeille, un cercle et quelques rayons, un polygone irrégulier. Définissez ou décrivez ces figures. (Ex.: Une courbe est une ligne qui change de direction, plus ou moins régulièrement, sans jamais faire d'angle.)

14. *Le temps et l'espace*

(*a*) Trouvez des exemples du temps subjectif dans votre expérience, dans vos lectures (anglaises ou françaises).
(*b*) Décrivez plusieurs espèces de montres et de pendules.
(*c*) Interpréter le graphique: un paragraphe écrit.

15. *L'année et le jour*

Narrez les événements d'une journée intéressante. (Ex.: «24 heures de la vie de...»)
    (Servez-vous des expressions apprises; évitez de faire des «listes» et variez le début des phrases.)

16. *L'heure*

Traduction orale:

To arrive in good time, at the right time; it's dinner time; put your watch right; it's time to go; presently; his illness worsens hourly; this job will take two hours; you get through a lot of work in an hour; we are to meet at the corner at 7.45.; we'll be through in an hour or less (en avoir pour); we'll set off at 8 sharp; he has been waiting for us for an hour and a half, ... since 11.30.

Etudier les expressions de la section 14.

17. *Moment — Instant*

Traduisez et donnez autant d'alternatives que possible:

- (*a*) At that time of year the farmers had little work on their hands. (Surchargés de.)
- (*b*) At that very moment the two vehicles were only three feet apart.
- (*c*) Since he has lost his case (son procès), he would do well to emigrate.
- (*d*) At times he felt very depressed; then he would cheer up again.
- (*e*) One day he went to the top of his form; from that day onwards nobody was able to catch up with him.
- (*f*) What are you doing with yourself? Well, just now I am writing an article on balloons.

    Just now, I am engaged in some research on versification; later on I'll broaden my subject somewhat.
- (*g*) He has only just arrived.

    I'll only be a minute.

    He always arrived in the nick of time.

    A momentous event; a momentary lapse of memory.

18. *L'avenir*

Traduisez:

- (*a*) I wonder what the future will bring!
- (*b*) Tomorrow we'll go up to the mountain hut; the day after we'll climb to the summit, and in three days we'll be back at the village.
- (*c*) He has promised to take us to the zoo a week on Saturday.

(*d*) A fortnight from now we'll be basking in the Mediterranean sun.

(*e*) His exhibition will open shortly.

(*f*) He's bound to appear some time!

(*g*) He won't make the same mistake again.

(*h*) Henceforth, said the magistrate, this court will impose heavier penalties. (Infliger.)

(*i*) Your promotion? That's not due for a long time yet.

«Il prendra son billet demain; il fera ses bagages après-demain; il fera une dernière visite à ses parents mardi prochain et il sera chez nous dans huit jours, dimanche probablement.»

Récrivez ce paragraphe au discours indirect, à la suite de: «Il nous avait écrit qu'il...»

19. *Le passé*

Trouvez des alternatives pour les expressions soulignées:

(*a*) On juge mieux *quand on voit les choses de loin.*

(*b*) Il n'y a pas très longtemps, *l'autre jour.*

(*c*) *Avant ça,* leur attitude avait été tout autre.

(*d*) *Quand ils ont eu* leur premier interview.

(*e*) Des recherches entreprises *avant de commencer le travail à proprement dit.*

(*f*) Il y a *très, très longtemps* que nous ne nous sommes pas vus.

(*g*) Il avait fait un saut chez nous *le jour précédent.*

(*h*) *Il y a plusieurs siècles,* on se servait d'un vocabulaire plus châtié.

(*i*) L'origine de ces légendes se perd dans *des siècles quasi préhistoriques.*

(*j*) *Il y a* déjà trois semaines qu'il ne donne plus signe de vie.

Trouvez des adjectifs qui marquent que la chose n'a plus cours, etc.:

L'... Président; un ... ami; une personne très ...; une robe ...; une carte de lecture ...; un rite qui est tombé ... ...; un Tory des plus ...; un ... conte breton; une expression ....

20. *La mémoire*

Transcrivez le texte de la leçon au passé. (Après la question, ajoutez les mots: «me demanda-t-il.»)

21. *Du changement*

Imaginez, sur le Mont Olympe, un dieu prophétisant ce qu'allait être la nature et l'histoire des hommes. Transposez les verbes de notre texte à la troisième personne du futur. (Nous — ils; nos — leurs.) Commencez ainsi: «Les temps changeront et l'homme...»

22. *Tableau des adjectifs*

(a) Apprenez peu à peu le vocabulaire de base donné ici. Il vous sera utile à tous les stades de vos études. Ne pas négliger les notes.

(b) Tâchez d'imiter notre présentation pour les adjectifs suivants: profond, plat, sec, simple, sûr.

(c) Sauf dans les cas de *mieux* et de *pire*, tous ces adj. peuvent être nuancés par *pas très* (ex.: Ce médicament n'est pas très amère.)

Découvrez quels adj. peuvent être modifiés par *peu* (ex.: une étoffe peu épaisse, un cavalier peu hardi.)

23. *Les étapes de la vie*

Composition écrite: «La vie de...» (Brève biographie d'une personne connue ou inventée.)

24. *Les activités de l'esprit*

Traduisez, vous servant du vocabulaire appris:

(a) Suddenly he had an idea.
That makes you think, does it not?
With a little thought most problems can be solved.
Great thoughts come from the heart, said the young moralist.

(b) I can't help thinking about that ill-fated explorer (malchanceux) who imagined he could discover the source of the Nile.

(c) My opinion does not matter; what I think of him is irrelevant.

(d) Dreams and day-dreams are perhaps equally important to our mental well-being.

(e) I do not deem it necessary, George, that you should ask for a drink every five minutes.

(f) Judging by the faces you pull, I take it that you scorn my suggestion.

(*g*) I couldn't agree more; daddy hasn't a clue about the cost of the things we need.

(*h*) He is usually mistaken about other people's intentions; he is quite incapable of facing the truth.

(*i*) To weigh things up. To have illusions about oneself. To study problems in depth and thus, by going beyond hypotheses, reach Truth. (Accéder à.)

(*j*) When I study a language, I come across new ideas which I associate, combine, and ponder over. If I go wrong, I go back to my sources. Should I think that I am right, I stand by what I have written. I try to judge my work as fairly as I can before handing it in: that is perhaps the most difficult task of all.

25. *Sensation et sentiment*

Compléter les phrases suivantes avec le vocabulaire de la leçon.

(*a*) Si je traduis *Neronis manus sinistra* par *la main sinistre de Néron*, je fais un ...

(*b*) Cette grange ... bon le foin.

(*c*) Les moineaux volaient dans tous les ...

(*d*) La sémantique nous renseigne sur les mots qui ont changé de ..., d' ... au cours des siècles.

(*e*) Pauline a beaucoup de bon ..., mais elle est in... devant le malheur d'autrui. En revanche la ... de sa soeur est presque maladive.

(*f*) L'exclamation *quelle barbe!* n'est pas compréhensible hors de contexte, l'expression étant à double ... (littéral et figuré).

(*g*) Ils se sont mariés sans que leur père eût ... à leur union.

(*h*) Lors de leur parution les *Caractères* de La Bruyère ont fait ... Tout le monde a voulu les lire pour retrouver les modèles des fameux portraits.

Un homme insensé a-t-il perdu connaissance? est-il très en colère?

26. *Le début de l'action*

(*a*) The soldiers began digging trenches.
They began by digging trenches.

(*b*) The preacher began by reminding the congregation of the danger of taking all the parables literally.

(c) His first attempts were hardly mentioned in the local press; success was slow in coming. Once launched, however, he never looked back.

(d) I took to swimming much later than my brother.

(e) Two new cargo ships, christened by twin sisters, were launched yesterday.

(f) From tomorrow onwards, all restrictions on the sale of fire-arms will be lifted.

(g) At first sight, the problem seemed insoluble.

(h) We touched on quite a few subjects, but failed to discuss any in full.

(i) To set in motion; to start a discussion; to take the first step; to hatch a plan; to set alight; the first course (of a meal); a first approach.

(j) The first step is always the hardest. (= costs the most.)

27. *La cause et la raison*

Remplacez les tirets par des expressions marquant la cause, etc. :

(a) — de connaissances précises, il s'en est tenu à des généralités.

(b) S'il nous a fait faux bond, — qu'une affaire urgente l'a retenu à Paris.

(c) Pourquoi l'a-t-on récompensé ? — sa fidélité. — avoir été fidèle à sa mission.

(d) Un — est souvent une mauvaise excuse, un voile jeté sur le véritable motif de l'action.

(e) J'ai de bonnes — de croire que M. X. est un filou de la pire espèce, un véritable escroc.

(f) — était sa compassion que toute petite tragédie lui arrachait des larmes.

(g) — donné que ta bicyclette est cassée, tu iras à pied, voilà tout.

(h) J'ai été puni, — j'ai désobéi à ma tante.
   — j'ai désobéi, j'ai été puni.
   — tu ne veux pas nous accompagner, nous irons au théâtre sans toi.

(i) — le mauvais temps, nous reporterons notre promenade à demain.
   — que le temps se gâte, nous...

(j) — il est malade, et — il n'a personne pour le soigner, on a dû l'envoyer à l'hôpital.

(*k*) Du — que tu nous refuses ta participation, l'affaire tombe naturellement dans l'eau.

(*l*) — l'eau montait, — nous étions appréhensifs.

28. *Buts et intentions*

Traduisez:

(*a*) A washing machine, a toothbrush; a metal saw; a lifebelt, a guard dog; a telescope.

(*b*) Papers are printed at night so that people can buy them on their way to work.

(*c*) Traffic lights are erected at street corners in order to avoid accidents and traffic jams.

(*d*) Mother turned the gas down so that the soup would not boil over. (Lest it should boil over.)

(*e*) His intentions are plain; he works with the sole aim of getting rich quickly.

(*f*) I did not go there for any particular reason, just to see what was going on.

(*g*) To be ready for the tropical heat, we have all bought sun helmets. (Le casque colonial.)

29. *Effets, suites et conséquences*

Composer des phrases avec les expressions suivantes: Suite, conséquence, répercussion, résultat, résulter en, entraîner, nuire, influence(r), effet, de (telle) sorte que, à tel point que, si peu ... que.

30. *La concession*

«Il est sourd — Il comprend ce qu'on lui dit.»
Rendez la concession explicite, comme nous l'avons fait pour le lièvre et la tortue. Le substantif de *sourd* est *surdité*.

31. Notez, au cours de vos lectures, d'autres exemples de l'emploi de l'adj. possessif et de l'article qui le remplace parfois. Complétez si possible la liste IIc.

32. *C'est — Il est*

Remplacer le tiret par l'expression qui convient. (Bien distinguer entre la langue écrite et la langue parlée.)

(*a*) — n'est pas vrai que Paul a menti à ses parents.

(*b*) — est difficile de savoir pourquoi nous réagissons parfois si fortement devant des choses anodines.

(*c*) Qui est M. Du Moulin ? — le président de notre fédération.

(*d*) — un roman qui ne livre pas toute sa saveur à la première lecture.

(*e*) — pour eux seuls que nous consentons à faire ce sacrifice.

(*f*) Ce qui m'a le plus impressionné, — la performance de Nicolet, le cycliste belge.

(*g*) Dis-moi, qui est cette dame ? — Mme Piquot. — avec elle que je fais de la littérature. — un de ces professeurs qui savent retenir l'attention de leurs élèves.

(*h*) Ils ont dû se mettre en route un jour plus tôt que prévu. Comme je les connais, — tout à fait possible !

(*i*) — peu recommandable.
— peu recommandable de boire à n'importe quelle fontaine.

(*j*) Les pingouins ? — les plus charmants animaux qui soient.

33. *Comme — comment — combien*

Remplacer le tiret par le mot qui convient.

(*a*) Mon pauvre chien geignait — un enfant malade.

(*b*) Il ne nous a pas dit — il s'y était pris.

(*c*) Il nous parlait — à des esclaves.

(*d*) — ce paysage nous semblait beau dans la douce lumière du matin.

(*e*) Il est bête — tout !

(*f*) — nous plaignons ces patriotes qui pâtissent sous le joug de l'oppresseur.

(*g*) — plus grande nous paraît la probité de nos ancêtres !
— quoi l'histoire embellit les actions reculées et redore les blasons ternis !

(*h*) Elle s'en allait — ça, au petit bonheur, à travers les campagnes fleuries.

(*i*) De — as-tu besoin ?

(*j*) —, je ne comprends rien à ton histoire.

A quel rang se place-t-il ? Le — est-il ? Il a été classé troisième !

34. *Tout juste, ... approximations*

Traduisez:

(*a*) The birds had only just hatched when we discovered the nest.

(*b*) We have just enough food for two days. There isn't a crust to spare.

(*c*) A nearly unbreakable material.
As the crop was poor (bad), we have hardly any potatoes left.
The lighthouse was barely visible on the horizon.

(*d*) He can hardly write.
She just about acknowledged his existence.

(*e*) The curtain had hardly risen, when Pamela felt faint.
He had hardly recovered from his illness when he took ill again.

(*f*) Would you call him a pop fan? Hardly.
This parcel weighs just over 40 lb.
She is not really unhappy in her new job. (Place.)

(*g*) A few plums; some forty sheets of paper; at three in the morning or thereabouts; in the vicinity of the main station; just short of 666 miles.

(*h*) I read at least twenty books during the summer holidays. He must be in his eighties.

(*i*) He nearly got caught. He had a narrow escape.

(*j*) He was somewhat impatient. His impatience verged on irritation.

Trouvez les mots qui sont à la base des diminutifs ou des «approximations» suivantes:

balbutier, bougonner, butiner, chantonner, se chipoter, crachoter, grappiller, marmonner (des injures), marmotter (des prières), prêchotter, rafistoler, siffloter, suçoter, tapoter, toussoter, trembloter, voleter, vivoter; effleurer, tâtonner, grignoter, faire un brin de causette; aigrelet, folâtre, larmoyant, souffreteux.

Exemple: Voix larmoyante, d'un enfant qui est sur le point de pleurer, qui est presque en larmes.

35. *Dont*

Traduisez:

(*a*) Goodness, the manifestations of which are sometimes strange, will finally prevail.

(b) All the soldiers whose leave had expired were to return immediately to their barracks.

(c) Nicole, with whom he was very much in love, was spending a long holiday with her parents.

(d) Isolation — that is what we most suffered from at that time.

(e) We have just read several novels, three of which are by Flaubert.

(f) Some incidents — which I could not remember accurately — kept coming back to my mind.

(g) This rumour (of which we guess that you are the author), ...

(h) This information (we guess its source easily) has not pleased us very much.

(i) The children, whose parents had taken them to the zoo, had to write an essay on their favourite animals.

(j) Mr X., whose son we have always trusted, has tried to break up our friendship. (Nous brouiller.)

(k) My friend, whose manager I asked for an interview, has begged me to drop the matter.

36. *S'agir de*

Traduisez :

(a) That's not what we are talking about!

(b) What is this play about?

(c) We were meant to arrive there at the same time as the other team.

(d) Mind the cars! (... se faire écraser !)

(e) Now listen, that is what it is all about.

(f) It was a mistake rather than a lie.

(g) So you think this is a political matter rather than a purely economic one?

(h) The cost should hardly amount to more than £10.

(i) That concerns you, but you don't seem in the least concerned.

(j) To pay his debts? That's out of the question.

(k) The happiness of all of us is at stake.

(l) The two problems are not connected.

(m) I can't quite see what is meant.

37. *Apprendre, etc.*

Traduisez (donnez des alternatives quand c'est possible) :

(a) I am learning Russian. He was learning to type.

(*b*) The old man taught us to carve wooden statuettes.

(*c*) Mr B. used to take the older pupils for literature.

(*d*) Margaret tells me that her sister intends to meet us in Genoa next week.

(*e*) In the Middle Ages philosophy was taught (s'...) as a branch of theology.

(*f*) Our representative will give you all the necessary instructions.

(*g*) They kept us well informed.

(*h*) These well brought up children are a credit to their mother (font honneur).

(*i*) The bringing up of children — the rearing of livestock.

(*j*) Marianne trains her dogs without brutality.

(*k*) Adrian is a qualified electrician. His foreman has trained him well.

(*l*) I know all about magic (à fond). My grandmother taught me the ins and outs of this secret art.

(*m*) Show me how this engine works. Give me a demonstration.

(*n*) Please let me know immediately what your plans are.

(*o*) Don't keep us in the dark concerning the dangers involved in this trip (que présente).

(*p*) Give us plenty of warning, please, and in good time.

(*q*) The secretary gave us some useful pieces of information.

38. *Un équivalent du passif*

Exemple: On n'abat pas un gros arbre d'un coup de hache.
            Un gros arbre ne *s'abat* pas d'un coup de hache.

(*a*) On n'accentue pas les mots de la même façon en français et en anglais.

(*b*) En Afrique du nord on achète les tapis à vil prix.

(*c*) On n'acquiert pas la science en dormant.

(*d*) On enfonce les clous avec un marteau, on les arrache avec une tenaille.

(*e*) On n'assimile pas une langue en un jour.

(*f*) On boutonne son manteau soit à droite soit à gauche. (Un manteau se...)

(*g*) En général on arrose le jardin de bon matin.

(*h*) On n'édifiait les pyramides que très lentement.

(*i*) Il élaborait / échafaudait des plans dans sa tête.

(*j*) On emploie le sable pour la fabrication du verre.

(*k*) On emballe ces articles séparément pour plus de sûreté.

(*l*) En général, on n'escalade pas seul la paroi nord de l'Eiger.

(*m*) On ne pardonne pas ce genre de crime.

(*n*) On exprime ça en deux mots.

(*o*) On ne déchiffre pas facilement son écriture.

(*p*) On ne prend des décisions importantes qu'après mûre réflexion.

(*q*) Comment conjuguez-vous le verbe «peindre»?

(*r*) Autrefois on rencontrait plus de vagabonds que de nos jours. (plus fréquemment.)

(*s*) On parle anglais dans de nombreux pays.

(*t*) Souvent on ne trouve la vérité qu'après coup.

Note: Les verbes qui se prêtent à cette construction ne sont pas illimités, mais la liste en serait trop longue pour que nous l'établissions ici. La formule avec *ça* (les maux de tête, *ça se supporte* à la rigueur, mais les maux de dent...) est fréquente en français parlé; elle s'applique à de nombreux verbes transitifs.

Legrand, dans sa *Stylistique française* (pp. 52–60), montre, au moyen de très nombreux exemples, comment l'on substitue l'actif au passif. Nous renvoyons les professeurs à cet excellent ouvrage, nous bornant ici à citer trois substitutions typiques:

Sa conduite n'a pas été soupçonnée.
Sa conduite n'a éveillé aucun soupçon.

Ces ouvrages seront oubliés.
Ces ouvrages tomberont dans l'oubli.

Ce tableau a été peint par vous.
Ce tableau est votre oeuvre.

39. *Le participe passé*

Remplacez les infinitifs en italiques par le participe passé avec ou sans accord selon le cas.

(*a*) *Désespérer* par la lenteur de la voiture, elles en descendirent et reprirent la route à pied.

(*b*) La malade nous semblait bien *affaiblir*.

(*c*) La récompense qu'on nous a *promettre* tarde bien à venir!

(*d*) Mais ces vieux films, vous les avez sans doute *voir* à la télévision.

(e) Il nous a *raconter* des histoires désopilantes.

(f) Tes roses sont splendides. Je n'en ai jamais *voir* de plus belles.

(g) Les amères reproches que lui ont *valoir* sa bouderie et sa désobligeance...

(h) Les scènes auxquelles nous avons *assister* nous ont *causer* une très mauvaise impression.

(i) Les belles vacances qu'elles s'étaient *promettre*.

Elles se sont *promettre* une fidélité à toute épreuve.

(j) Les chirurgiens que j'ai *voir* opérer m'ont impressionné par la précision de leur travail.

Les opérations que j'ai *voir* faire m'ont dégoûté de la médicine

(k) Les fleurs que vous avez *avoir* la bonté de m'envoyer.

40–41. *Participe passé et gérondif*

Remplacez les tirets par *en* où cela vous semble judicieux:

(a) — boutonnant son veston, il sortit subitement de la pièce.

(b) — ne pouvant être à deux endroits à la fois, il décida d'attendre la suite des événements chez lui.

(c) C'est — lisant et — observant qu'on s'instruit.

(d) Les habitants, — voyant leur ville investie de toutes parts, eurent recours à un stratagème pour se procurer des vivres. (Investir=entourer de troupes.)

(e) Son ami lui offrit — riant de le raccompagner chez lui.

(f) Pendant toute la nuit j'ai entendu les hérissons — marchant à petits pas sur le gravier des allées.

(g) Tout — cirant ses chaussures, il lui racontait des histoires à dormir debout (impayables, incroyables).

(h) Tout — le prenant au sérieux, je me méfiais un peu de lui.

(i) Gaie, très alerte, — s'amusant de tout, Marie faisait les délices de ses parents.

(j) Les prix — ayant beaucoup augmenté, nous n'avions plus de quoi nous payer les petits luxes qui rendent la vie si agréable.

(k) Le voyageur laissa là ses bagages et, — suivant le domestique, se dirigea vers sa chambre.

(l) — entrant dans l'appartement obscur, il crut entendre un bruit — venant de la salle de bain.

Note: Rappelez-vous que le participe présent se rapproche de l'adjectif et le gérondif de l'adverbe!

42. *L'adjectif verbal*

Remplacer les infinitifs entre parenthèses par le participe présent, ou l'adjectif verbal, ou le substantif approprié.

(*a*) Si vous êtes l'(adhérer) d'un parti, c'est que vous lui avez donné votre ad...

(*b*) Ces touristes américains (affluer) de toutes parts, nous semblaient richissimes.

(*c*) L'Inn est un (affluer) du Danube.

(*d*) En (communiquer) ainsi avec elle, il la tenait au courant des derniers événements.

(*e*) Selon les (communiquer) reçus du front, l'offensive progresse d'une manière satisfaisante.

(*f*) Vos arguments ne sont pas (convaincre); vous manquez vousmême de con...

(*g*) Plusieurs armées ennemies (converger) sur la ville, il n'y avait plus de défense possible.

(*h*) Les nations, si (différer) entre elles, règleront-elles jamais leurs (différer)?

(*i*) Nos vues sont trop (diverger) pour que nous puissions nous entendre.

(*j*) (Emerger) des flots, le sous-marin nous a frappé par sa longueur insolite.

(*k*) Un kilogramme est l'(équivaloir) de deux livres.

(*l*) L'Angleterre reconnaît l'(équivaloir) de la licence et du B.A.

(*m*) Paul, vous vous occuperez de l'(expédier) de ces colis.

(*n*) Pendant la guerre, beaucoup de gens durent vivre d'(expédier).

(*o*) Il fatigue ses parents par ses (extravaguer).

(*p*) Comme il a trempé dans un petit complot, on l'appelle Monsieur l'(Intriguer).

(*q*) C'est en (négliger) ses devoirs que l'on fait preuve de (négliger).

(*r*) Parfois le (précéder) tient lieu de loi.

(*s*) En (provoquer) les autres, on se met à l'abri des (provoquer) d'autrui.

(*t*) Fais donc la (révérer) au (Révérer) Père!

(*u*) (Suffoquer) de colère, il ne put ouvrir la bouche.

(*v*) (Vaquer) à ses occupations, Julien siffle tout le long du jour.

(*w*) Sa place ne sera jamais (vaquer). C'est à peine s'il prend des (vaquer).

(*x*) En (violer) notre territoire, l'ennemi a commis un crime d'agression.

(*y*) Que cette musique est (excéder).

(*z*) Son père est un gros (fabriquer) de motocyclettes.

43. L'infinitif

Voir la seconde moitié de la leçon.

44. Le passé simple

Voir le dernier paragraphe de la leçon. De plus, étudiez l'emploi du passé simple et de l'imparfait dans les extraits de votre livre de lecture que vous indiquera votre professeur.

45. Les indéfinis, de quiconque à chacun

Les 114 phrases de l'exercice 45 suivent grosso modo l'ordre des leçons sur les adjectifs, pronoms et adverbes indéfinis. Nous recommandons de chercher autant d'alternatives que possible pour chaque phrase. On y reviendra à plusieurs reprises et on appliquera peu à peu les notions acquises.

(1) Those who flatter a rich man will despise him if he becomes poor.

(2) The ancient Egyptians were more civilised than anybody before them.

(3) He would send his autograph to anybody who asked for it.

(4) The prisoner was not allowed to see anybody at all.

(5) Whatever you may say, I'll never trust him again.

(6) He doesn't believe in anything at all.

(7) We'll weather the weather, whatever the weather, whether we like it or not. (Affronter.)

(8) No matter what pretext you use, you will be held responsible for your actions.

(9) However solid these wooden bridges may be, they are not meant for heavy lorries. (Fait.)

(10) However fast he pedals, he doesn't seem to make any headway against the wind. (Progrès.)

(11) I had nothing to put on the walls — any old picture would have done.

(12) He destroyed all his correspondence without showing any emotion whatsoever.

(13) Who has written this novel? Some obscure novelist nobody ever mentions nowadays. (Parler de.)

(14) He has lost some 2 000 francs at the casino.

(15) Anyone has the right to borrow books from the library. Anybody who wants to borrow books must fill in a form.

(16) Give him something to drink, anything will do, he isn't fussy.

(17) Because he was prone to much talking, he would pounce on any subject, anything at all, and deliver a lecture on it. (Grand parleur... et nous faisait tout un discours.)

(18) Furniture, books, jewels, old clothes, anything: the second-hand dealer did not mind what he sold. (... vendait de tout.)

(19) You can't just put these flowers in a vase haphazardly; they have to be properly arranged. (Joliment.)

(20) Where on earth did you find this, John? (Dénicher.)

(21) How on earth am I meant to know if nobody ever talks to me!

(22) Nobody ever left the old hermit without some sort of consolation.

(23) There was hardly anybody in town he could turn to for help.

(24) Voir le *Devoir* à la fin de la section sur *Personne avec ne*.

(25) Several strangers entered the town hall without anybody noticing them.

(26) We don't think that anybody will ever have the courage to repeat that exploit.

(27) I shouldn't like anybody to think himself blameless.

(28) Before anybody could utter a word of protest, the speaker had vanished backstage. (dans les coulisses.)

(29) Neither the swindler nor his henchman was ever seen again in the neighbourhood.

(30) We had to resign ourselves to the inevitable; there was nothing else to do.

(31) He stopped me taking anything at all.

(32) He is much too rich for anything to appear too expensive for him.

(33) He deposited the parcel at the bank lest (for fear that) anything should happen to it.

(34) He didn't let on. In next to no time.
I don't really feel like it.
It has nothing to do with me.

(35) I haven't seen any of the plans you are talking about.

(36) The pirate ship entered the harbour without let or hindrance.

(37) Some people claimed that the king was too young to assume full responsibility.

(38) George recited the famous monologue better than any of his schoolfellows.

(39) He is no good at spelling.

(40) Of all the novels I have read, none is more moving than *The Idiot* by Dostoyevsky.

(41) Dans quelles phrases du groupe 34–40 est-ce que l'emploi de *nul* est possible ?

(42) Are you likely to go abroad this summer ? I don't think so.

(43) His sermons are not very exciting; not because he is pedantic, but because he has such a monotonous voice.

(44) Have we run out of petrol ? Fortunately not. We are still a long way from the garage.

(45) Our teacher advocates non-violence. (Un partisan.)

(46) He begged his mother not to send him to his godfather for the holidays.

(47) She is very partial to chocolate cream; he isn't.

(48) It is not so much the music he plays as his interpretation I dislike.

(49) I haven't any left. I haven't got more than you!

(50) All they had to do was consult a dictionary.

(51) As he had only dealt with boys before (jusqu'alors), he felt awkward in the presence of young ladies.

(52) We were allowed only one letter a week.

(53) I wouldn't know what to do with all those old bits of material.

(54) I dare not tell anybody.

(55) If he is tempted by the trip, why doesn't he join us?

(56) You only have to ask!

(57) Were it not for these kind people, we would have been well and truly stranded. (Etre en panne.)

(58) Fearing the rain, he armed himself with a huge green umbrella.

(59) We were afraid that no help would reach us.

(60) They were not to leave the table before they had finished their meal.

(61) Neither cunning nor brute force could save him.

(62) They had no wish to get involved either in politics or in parish matters.

(63) His writings are not short of poetry or of eloquence.

(64) I wasn't going to make any promises, nor was my brother.

(65) Neither Elizabeth nor her sister (nor any one of her brothers) was ready to lend mother a hand.

(66) Neither you nor your brother will ever be invited again.

(67) Hardship, poverty, or even illness, could not compel them to shed a tear over themselves. (Pleurer sur leur sort.)

(68) This house will do me; I don't want another.

(69) What other instrument can you play? The piano? Good, and what else?

(70) Other people's unhappiness leaves him cold.

(71) You go to the pictures, and we'll go to the theatre.

(72) The supervisor complained about both of them (the one and the other).

(73) They had no other ambition than to live quietly in their little corner.

(74) She had no help (appui) other than that of her ailing father. (No other help but her father!)

(75) We have bought quite a few things, amongst them a beautiful pink lampshade.

(76) The other four specimens were destroyed by acids.

(77) What have you brought me back from Africa? Something interesting, I think.

(78) Theorizing is one thing, putting into practice another.

(79) Some painted, some drew, and some were cutting wood for the picture-frames.

(80) The farmer needed rain and sunshine; but he got neither, as the sky simply remained overcast.

(81) They exchanged gifts. They forgave each other. They became reconciled. (= They reconciled themselves with each other.)

(82) They are pursuing a higher aim, something more splendid, which will satisfy their thirst for glory.

(83) Few things are of permanent value.

(84) It doesn't amount to much.
He makes do with very little.

(85) There is much more to this portrait than (mere) faithfulness.

(86) These are very tolerant people, don't you think?

(87) Frightened by the noise of the guns, the villagers hid in their houses.

(88) I couldn't tell you the names of all the people I spoke to last night.

(89) It is our duty to support all the old people in (of) our community.

(90) I had no time for all those people who thought themselves above their compatriots.

(91) Some people hold on to their beliefs, others become sceptical about most things.

(92) Some men of letters have been endowed with more conceit than talent. (Ont plus.)

(93) He can't stand people who treat him as an old friend when they have only just been introduced.

(94) We have invited several people who, we know, belong to the society we wish to join. (Devenir membres.)

(95) They put me in touch with somebody who knew somebody else whose friend was a lawyer... They said that he was very nice, very reliable, not just a nobody.

(96) So they put on their disguises — this one a false beard, that one a big red nose, still another a mask (un loup) — and they trotted off to the carnival.

(97) Let me talk to anybody you like, but don't keep me waiting any longer.

(98) Someone in our midst must have given away our secret. We don't know who — yet, whoever it may be, we shall discover his identity.

(99) Like a carefree bird, the glider gave itself over to the moods of the air.

(100) Mr B. is such a good writer (or at least we think so) that we make a present of his books to our friends.

(101) He sent the manuscript to the printer just as it was.

(102) He was born in such and such a town, on such and such a date.

(103) One man says yes, another says no, and nobody is any the wiser (=knows any more than before).

(104) I have spoken to several people, but none of them seems to realise the difficulties we are in.

(105) The diver tried several times to reach the sunken ship, but in vain. In fact he went down more than eight times.

(106) He travelled abroad repeatedly and met quite a few well known people.

(107) After umpteen attempts Gregory has at last succeeded in swimming the Channel.

(108) You have made quite a few mistakes in your dictation, Johnny.

(109) All accidents and infringements of the code have to be reported to the police. (Infractions au code.)

(110) My opinion on this matter is quite different from yours. Any other opinion would be difficult to justify.

(111) The children had no other toy than an old tennis ball.

(112) With each new record he launched on the market his fame increased.

(113) The officer had his men shoot at (sur) a target in turn to see who had improved most.

(114) Each of the employees was presented with a little souvenir by the manager of the firm.

INDICATIONS BIBLIOGRAPHIQUES

1. *Petit Larousse*, Paris 1965.
2. *Dictionnaire du français contemporain*, Paris 1966.
3. *Dictionnaire alphabétique et analogique de la langue française* (Le Petit Robert), Paris 1967.
4. *Duden Français* (Dictionnaire en images), Mannheim 1962.
5. *Dictionnaire des difficultés grammaticales et lexicologiques*, J. Hanse, Bruxelles 1949.
6. *Dictionnaire des difficultés de la langue française*, A. V. Thomas, Paris 1956.
7. *Dictionnaire analogique*, Ch. Maquet, Paris 1936.

8. *Grammaire pratique du français d'aujourd'hui*, G. Mauger, Paris 1968.
9. *Précis de Grammaire française*, M. Grevisse, Gembloux (sans date).
10. *L'emploi des temps en français*, H. Sensine, Paris 1966.
11. *Cours d'orthographe*, J. Humbert, Bulle (Suisse) 1946.

12. *Colloquial French Episodes*, Harrap 1962.
13. *French Tales of our Time*, Harrap 1954.

TABLE DES MATIERES